Scarlet

Scarlet

스칼렛

선본남자

단영 장편 소설

선본남자

1

Scarlet
스칼렛

CONTENTS

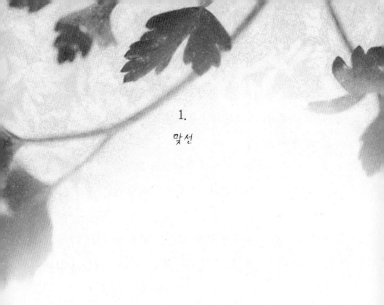

1.

맞선

그녀처럼 아름다운 여자에게는 깨끗한 구두가 어울린다.

―중경삼림(重慶森林 Chungking Express, 1994) 中―

"선이라고요?"

응? 이건 또 어디에서 튀어나온 개구리지?

예고도 없이 툭 튀어나온 말에 나는 잠시 멍청해졌다. 가만있자, 그러니까 그게 무슨 뜻으로 쓰는 단어였더라? 선이라. 하도 오랜만에 듣는 말이라서 그런지 아니면 의외의 장소에서 허를 찔린 탓인지 순간적으로 정신이 하염없이 멍청해져서는 아무리 되뇌어도 무슨 말인지 도대체 접수가 안 되려고 했다.

그저 근저를 알 수 없는 본능적인 거부감과 함께 이대로 현실에서 도피하고 싶은 마음만 봄날의 아지랑이처럼 폴폴 피어날 뿐이다. 정신적인 충격이 상당했다.

째깍째깍.

머리가 시리다. 시간이 흐를수록 뇌혈관이 점점 더 창백해져 가는 것이 느껴졌다. 얼떨떨한 시선으로 다시 창구 너머를 바라보았다. 아랫집 정애 할머니가 자리에서 일어나 그 짜리몽땅하고 주름진 몸을 최대한 바짝 편 채로 나를 노려보고 있었다. 바늘구멍처럼 쭉 찢어진 눈과 정통으로 마주쳤다.

아악! 내 눈깔, 내 눈깔!

알 수 없는 기가 할머니에게서 뭉클뭉클 피어나 사방을 점령해 간다. 발레리나처럼 발끝으로 서서 창구 너머로 얼굴을 들이밀고 있는 그녀의 눈빛이 먹이를 발견한 대머리 독수리의 그것처럼 날카롭게 번뜩였다. 살벌하다. 갑자기 긴장감이 몰려왔다. 여기서 떨면 지는 거다.

마인드 컨트롤, 마인드 컨트롤.

할머니는 대머리 독수리가 아니고 나는 생쥐가 아니다. 생쥐가 아니다, 생쥐가 아니다. 대답을 재촉하듯 할머니의 얼굴이 점점 더 바짝 다가오고 있었다. 지, 지면 안 되는데, 안 되는데…… 꿀꺽.

"마, 맞선을 보라고요?"

"응, 그려. 할매 친구가 서울서 사는디 그 사람 손자가 참말 잘났디야. 한참 전에 서울 올라간 질에 봤을 적에 '우리 동네 과수원집 큰 딸내미가 참말 이쁘더라.' 소리를 혔더니 기억하고 있었는지 한 번 봤으면 허더라고. 만나 볼래냐?"

"아하하하. 에이, 아니에요. 바쁜 철에 선은 무슨……."

"그라지 말고 한 번 만나 보는 것이 좋을 것인데. 부모는 없지만 사람이 착실하니 돈도 잘 벌고 엄청 잘생겼디야. 훈남이랴. 너도 내년이면 서른 아녀? 얼른 시집가야지."

할머니가 입꼬리를 올리고 히죽 웃었다.

아니, 정말 웃고 있는 거 맞나? 웃는 게 웃는 게 아니라더니 그 선한 얼굴에서부터 보이지 않는 살기가 뻗어 와 명치를 쿡 후려치고 지나갔다. 간은 멀쩡한데 얼굴에서 경련이 일어났다. 아무 이유 없이 당당한 할머니의 시선이 그물처럼 온몸을 옥죄고 있었다. 슬그머니 고개가 돌아갔다.

아나, 그놈의 서른은 윤미숙 혼자만 된다고 소문이 났나.

아직 '스물아홉'이라고, 만으로 치면 '스물여덟' 밖에 안 되었다는 말이 목구멍 바로 아래까지 올라왔다가 힘없이 스르르 내려갔다. 스물여덟이니 아홉이니 하는 건 사실 어른들에게 그리 중요한 문제가 아닐 터였다.

어쨌거나 윤미숙은 그 나이가 되도록 결혼을 못 한 노처녀가 분명했고, 어른들의 잔소리 아닌 잔소리는 내가 결혼을 하는 그날까지 줄기차게 이어질 게 뻔하니까. 그리고 별 이

변이 없는 한 이런 갑작스러운 맞선 제안도 심심치 않게 찾아들 것이다. 스무 살 이후 지금까지 줄곧 그래 왔던 것처럼.

생각해 보니 내가 의외로 맘고생을 많이 했다.

스무 살 이후 서른을 향한 카운트다운을 꾸준히 받아 오다가 얼마 전부터 그냥 '서른' 취급을 당하고 있는 심정을 누가 알아줄까나. 스물다섯부터 '낼모레 서른' 소리만 줄기차게 듣다 스물아홉이 된 올해는 온 동네 주민들로부터 아예 본격적인 서른 살 취급을 받게 된 처지가 너무너무 쓸쓸했다. 세상인심이 왜 이따위로 돌아가는 건가. 억울하다. 망할 놈의 서른.

'내가 왜 탄핵을 당해야 하는 거지? 내가 서른이 되면 이 동네에 무슨 큰일이라도 벌어지는 거야?'

이 동네에 서른 살 노처녀가 나 하나만은 아닐진대, 모두가 작당해서 얼굴이 마주치는 족족 '시집가야지.'라는 소리를 하는 건 너무하지 않나. 다들 잊고 있는 모양인데 노처녀에게도 인권은 있다. 뿐만 아니라 취향과 고집도 있다.

이래 봬도, 나의 로망은 대놓고 평범하고 아주 많이 착한 남자 만나 하루하루 착실하게 연애해서 결혼하는 거다. 닭살 돋는 애정 행각도 벌여 보고, 사랑에 빠진 여자답게 예쁜 여우 짓도 해 보고, 또 때로는 티격태격하다가 토라지기도 하는 그런 평범한 연애야말로 윤미숙의 장래 소망이었다. 늙었다고 연애 감정까지 포기한다는 건 지나치게 슬픈 일이니까.

아무튼지 간에, 그런 이유로 나 윤미숙은 이 불합리한 압력에 절대 굴복하지 않겠다.

"휴우, 제 처지에 선은 무슨 선이에요? 관둘래요."

"니 처지가 워떠서 그려? 그만하면 이쁘고 착하고 성실하고 다 좋기만 하구먼."

"좋기는 무슨. 저 없으면 우리 아부지 진지는 누가 차려 드려요? 미주도 고3이라 신경을 더 써 줘야 하는데……."

"아, 미준이 곧 졸업할 거 아녀? 졸업하면 의사 선상님 되는 거고. 그러면 금방 결혼해서 홀아비 신세인 지 아부지랑 막둥이는 어찌 됐든 보살펴 주겠지."

"그거야 그렇지만. 당장 마련해 둔 돈도 없고……."

"야야, 무슨 돈 걱정이여? 결혼하는 데 돈이 왜 필요하간디? 아무 걱정 말어라잉. 축의금도 조금 있을 것이고, 또 큰일은 그짝에서 다 알아서 할 거여."

말도 안 된다.

결혼식에 돈이 안 들긴 왜 안 드나? 여차하면 멀쩡한 집안 기둥뿌리도 뽑아 먹는 게 결혼이라던데.

결혼하는 데 돈 걱정을 안 하면 그럼 무슨 걱정을 해야 한다는 건가. 내 배에 퇴적층처럼 쌓인 두툼한 지방층이 있는지 없는지 혹은 신랑이 고자인지 아닌지 하는 걱정보다 웨딩드레스 빌리는 값은 얼마고 혼수는 얼마나 해야 시집살이를 덜할지를 먼저 고민하는 것이 인지상정이며 신부 된 도리일 터였다. 상황이 이러하거늘 시대의 기대에 부응하지는 못할 망정 아예 무시하는 것은 분명히 문제가 있었다.

"총각이 엄청 잘 번디야. 갑부랴. 집도 있고 차도 있고 직장도 빵빵허고. 부족한 것이 없디야. 그래서 내 친구가, 그러니께 그 집 할매가 그냥 몸만 와도 된다고 그랬단 말여. 그러니 너는 걍 몸만 가도 되는 겨."

머릿속에서 눈보라가 불었다.

휘이이잉.

긴 터널 사이로 바람이 빠져나가는 것처럼 툭 떨어진 입안에서부터 힘 빠진 긴 바람이 새어 나왔다. 너무 기가 막혀서 눈이 하얗게 돌아가려고 한다. 흥부네 제비가 박씨 대신 소형 핵폭탄을 물어 왔다고 해도 이보다는 덜 슬프겠다.

우리 집은 문을 열어 놓고 살아도 집어 갈 게 없을 만큼 가난한데 남자의 집안은 땅값 비싼 서울에서도 탁탁하다는 소리를 들을 만큼 잘산단다. 잘사는 집안으로 시집가면 좋은 것 아니냐고? 천만의 말씀이다. 뽑을 기둥뿌리가 없으면 사람 뿌리를 말려 죽이는 게 또 결혼이란다. 그래서 옛말에도 한쪽이 너무 기우는 결혼은 하는 게 아니라고 하지 않던가.

이 바쁜 장날, 나의 직장까지 쪼르르 달려와서 뱉어 놓은 남자가 사실은 접근 불가의 위험 취급물이라는 사실을 정애 할머니는 과연 알고 있을까? 몸만 오라는 말이 사실은 사기성이 농후한 립 서비스이며 만에 하나 그 말이 진실일까 봐 더 떨리는 내 심정은? 달마가 동쪽으로 간 이유를 알아도 그걸 모르면 중신이고 뭐고 말짱 소용없는 일이다. 나는 남몰래 할머니를 향해 눈을 흘겼다.

"할머니도 참. 그거야 그냥 해 본 소리겠죠."

"아니, 그런 게 아니라니께. 너그 살림을 내가 아는디 설마 비싼 밥 처묵고 와서 내가 괜한 소리를 하겠어? 참말로 몸만 오랴. 와 주기만 혀도 고마울 거라고 혔어. 딴거는 몰라도 덕순이 갸가 헛소리는 안 한다니께."

역시 불길하다.

사람이 하는 모든 행동에는 반드시 이유가 있다고 했다. 낯선 사람이 갑자기 친절하게 다가오는 건 사기를 치고 싶거나 곧 선거에 나갈 예정인 것이고, 직접 탄 커피를 상사에게는 주어도 본인은 절대 마시지 않는 것은 그 커피에 침을 뱉었기 때문인 것처럼, 기브 앤 테이크가 예의범절이 된 이 척박한 세상에서 아무 대가 없이 '그저 몸만 오시오.'라고 하는 경우에도 역시 그만한 이유가 있는 게 당연한 것 아닌가.

물론, 서로 너무너무너무너무 사랑해서 죽고 못 사는 사이라면 이 시대에 흔치 않은 미담이라고 여기며 '아, 그럴 수도 있겠구나.' 하겠지만, 이건 그런 운명적인 사랑 같은 게 아니라 그냥 흔한 맞선이 아닌가 말이다.

아무리 마음에 들었다고 한들, 세상에 어떤 맘 좋은 남자가 빈손으로 오는 여자를 좋다고 할까. '그냥 몸만 오라.'는 소리를 당사자가 직접 했다고 해도 내가 먼저 진의를 의심해 볼 판이었다. 몸만 오는 대신 당연히 뭔가 더 바라는 게 있을 테니까. 그래서 말인데 혹시 그 사람 무슨 말 못할 문제를 가지고 있는 것 아냐? 고자라거나, 아니면 마르고 닳도록 부려 먹어야 할 만큼 특별한 사정이 있다거나.

시골에서 나고 자랐지만 내가 세상 돌아가는 인심을 모를 정도로 멍청하지 않은 게 천만다행이라면 다행이었다. 잘 버는 사람이니 쭉쭉빵빵 잘빠진 미모의 어린 여자나, 마찬가지로 잘 버는 여자를 원하는 게 당연한 욕심이라는 것 정도는 알고 살아오지 않았나. 더구나 나는 지금 한 푼이 아쉬운 처지라 단돈 만 원이 들어가는 일이라고 해도 그냥 물리고픈 마음이 더 컸다. 그럴 돈이 있으면 차라리 꿍쳐 놓았다 우리 미준이 등록금에나 보태고 말지.

"혹시 남자한테 무슨 문제가 있는 건 아니고요? 아니면 다른 말 못할 사정이라거나……."

"야가, 시방 무신 소리를 하는 거여. 사람의 양심을 뭘로 아는 겨. 덕순이는 모르겠지만 나로 말할 것 같으면 하늘을 우러러 한 점 부끄럼이 없는 사람이여. 엄청이 잘났디야. 아, 훈남이라니께. 만나 볼 것이지? 너도 시집은 가야 할 거 아녀."

시집이라…… 가긴 가야지.

가긴 가야 하는데 왜 한숨이 먼저 푹 쏟아지는지 모르겠다. 나도 모르게 생각의 방향이 자연스럽게 통장 잔고로 향했다. 그러니까 지금 내 통장에 얼마가 들어 있더라?

'일금 이천구백칠십팔 원.'

2,978원.

눈물이 난다. 그렇다, 윤미숙은 돈이 없다. 직장 생활을 자그마치 근 십 년 가까이나 하고 있는데도 어쩌면 이렇게 가진 것 하나 없는지 깡털 신세만 나란히 10년째였다. 그냥 가진 것만 없음 그나마 좀 낫겠는데 마이너스 통장에다 농협에 갚아야 할 돈도 수천이나 남아 있는 신세다. 한마디로, 나이 서른에 가진 건 빚밖에 없는 가련한 인생이 바로 나 윤미숙이라는 소리다.

이런 처지에 결혼?

지나가던 똥개가 비웃을 일이었다. 나도 일단은 염치는 있는 인간이라 이런 꼴로는 절대로 결혼한다고 나서서는 안 된다는 걸 잘 알고 있었다. 온 집안을 탈탈 털어도 썩은 장롱 한쪽 값도 안 나올 만큼 어려운 형편에서는 더더욱. 거기에 더해 나쁜 건 통장 잔고만이 아니었다.

'나 없으면 아부지 진지는 누가 챙겨 드리지? 미주는 할 줄 아는 게 아무것도 없는데다 고3이라고 신경이 만날 곤두서 있는데. 무엇보다 혼수 장만할 돈도 없고. 사과 수확 끝나면 농협에 이자 먼저 넣어야 하니까. 미준이 새 학기 등록금에 내년엔 미주도 대학에 들어가니 입학금도 마련해야 하고.

휴우, 그게 다 얼마지?'

아직 내 손을 많이 필요로 하는 가족들과 앞으로도 꾸준히 들어가야 하는 돈.

생각해 보니 나는 그야말로 나쁜 신붓감의 대표적인 예나 다름없었다. 이런 처지로 결혼을 생각하고 선을 보러 나간다는 건 역시 양심이 없는 짓이고 상대방에 대한 예의도 아니다. 당장 남동생의 등록금도 마련하지 못해 골머리를 딱딱 앓고 있는 상황에서는 더더욱.

'아, 미준이 등록금! 이달 말까지였나? 깜빡 잊고 있었네. 휴, 그건 또 어떻게 마련해야 하나. 그래도 미준이가 곧 졸업이라 다행이야. 마지막 학기만 지나면 인턴으로 나가겠지? 그럼 미주 등록금만 해결하면 내년엔 좀 살 만해질까?'

좀 살 만해지면 슬슬 결혼을 생각해도 될까…… 하는 생각이 잠시 떠올랐다가 물거품처럼 사라졌다. 좀 살 만해지면 동생들 등록금 대느라 생긴 농협 대출금부터 얼른 갚아야지 결혼은 무슨. 빤한 시골 살림이다 보니 갑자기 목돈이 생길 일도 없어서 결국은 내가 또 죽어라 벌어 갚아야 한다. 한두 해 벌어서 갚아질 돈이 아닌 건 물론이다. 상상만으로도 척추가 휘었다.

생각이 거기까지 이르자 안 그래도 점점 더 아래로 처져 가던 어깨가 아예 땅속으로 푹 꺼져 버렸다. 다시 한숨이 쏟아졌다. 시집은 무슨. 이젠 쓴웃음도 안 나온다.

"에이, 역시 관둘래요. 공연히 맘 쓰기 싫어요."

"그런 게 아니라니까 그러네. 일단 한 번 만나 보기나 혀. 놓치면 두고두고 후회할 자리라니께."

"그래도 싫어요."

"싫기는. 아, 몰러. 주말에 그 총각이 내려온다고 했으니께 무조건 만나 보는 거여. 나 그만 간다잉."

"예에? 아, 할매! 할매에!"

흡사 도시락 폭탄을 던지듯 자기 할 말만 쏙 해 놓고 정애 할머니가 번개처럼 일어섰다. 그러곤 누가 잡을세라 뒤도 안 돌아보고 후다닥 사라진다. 쫓아가 봐야 이미 늦었다. 웬 노인네가 발이 저렇게 빠른지 할머니는 벌써 북적거리는 인파 속으로 섞여 들어가고 있었다. 오늘은 5일장이 서는 날이라 내가 일하는 마을금고 앞은 장을 보러 나온 사람들로 온통 인산인해를 이루고 있었던 것이다.

"아아, 난 몰라."

코가 쏙 빠진 몰골로 나는 울상을 지었다.

안 그래도 바쁜 철에 공연히 귀찮은 일을 만든 듯해 벌써부터 해일 같은 피곤이 몰려오고 있었다. 이럴 줄 알았으면 냉정한 이성으로 말이 나오기가 무섭게 그냥 딱 잘라 내는 건데 그랬다. 꼬부랑 할머니가 될 때까지 처녀로 늙을 예정이라고 소리쳐 버릴걸.

"그냥 나가 보지 그래?"

불쑥! 예고도 없이 옆자리에서 둥근 얼굴이 하나 툭 튀어나왔다.

맞선 소리가 나오는 순간부터 두 귀를 쫑긋 세우고 있던 후배 자연이 물 만난 고기처럼 초롱초롱한 시선으로 나를 애타게 바라보고 있었다. 그래, 답지 않게 오래 참는다 했다. 침이라도 튄 양 손바닥으로 한쪽 볼을 슥 닦으면서 하는 수 없이 돌아보자 조금 민망한 듯 히죽 웃는 그녀가 호들갑스럽게 떠들었다.

"나가. 무조건 나가라, 언니야. 혹시 알우? 할매 말처럼 진짜로 훈남이 나올지?"

"그럼 더 걱정이지. 잘났다고 얼굴값 할 것 아냐?"

"뭐야, 짜증 나게. 거울이나 보고 얘기해. 언니도 충분히 얼굴값 하게 생겼거든요?"

"난 늙었잖아. 여자는 늙으면 아무 소용없는 거야. 남자는 예쁜 여자보다 한 살이라도 어린 여자를 더 좋아한다고 하더라."

"정확히 말하면 어리고 예쁜 여자지. 어쨌거나 언니도 그 남자에 비하면 충분히 어리고 예쁘니까 그딴 흰소리는 그만 넣어 두세요. 선볼 거지?"

"휴우, 안 본다고 한들 들어나 주시겠니?"

어쩌겠나. 정애 할머니는 동네 제일의 쇠고집으로 유명하고, 그 고집쟁이 할머니는 이미 바람과 함께 사라졌는데 말이다. 수북한 전표 다발을 툭툭 두드리며 나는 습관적으로 또 한숨을 내쉬었다. 나, 이래 봬도 엄청 바쁜 사람인데.

"주말엔 밭에 잠깐 나가 보고 청소랑 밀린 빨래를 할 생각이었는데."

"아악! 언니야, 제발 아줌마 같은 소리 좀 하지 마. 어째 입만 열면 만날 집안일만 한다고 그래. 일 년 삼백육십오 일 내내 하는 일 지겹지도 않아? 아니, 만날 하는 일 하루쯤 안 하면 죽는대? 자자, 한숨 고만 쉬고 그냥 하루 외식한다고 생각하고 나가 봐. 응?"

"외식이라……."

"잘 버는 남자라니까 밥도 비싼 거 사 주지 않겠수? 그리고 어찌어찌 잘되어서 정말로 시집이라도 가면 더 좋고. 그래야 언니의 고생길도 끝날 것 아니야."

"얘는, 내가 무슨 고생을 한다고 그래?"

남들도 다하는 일을 하면서 사는 게 고생이면 화장실에서 볼일을 보는 것도 고생이겠다.

흥, 콧방귀를 날려 주고 나는 슬슬 전표를 뒤적거렸다.

아직 어린 자연이야 결혼하면 바로 고생 끝 행복 시작이라고 생각하는 모양이지만, 그거야말로 어림도 없는 소리였다. 결혼한다고 해서 손끝에 물을 안 묻히고 사는 것도 아닐 텐데 웬 꿈같은 소리. 아니, 결혼해서 행복하기만 하다면 이 시장통의 아주머니들은 왜 허구한 날 '못 살겠다.'는 소리를 입에 달고 산단 말인가. 나름 멀쩡해 보이는 남편들을 향해 '저 망할 인간을 죽이네, 살리네.' 소리도 곧잘 하더구먼.

'휴, 결혼이고 자시고 난 우리 미준이 등록금만 해결되면 엄청 행복하겠다.'

행복하기만 한 게 아니라 아주 날아다니겠다.

한숨이 다시 길어졌다. 사과를 본격적으로 따려면 아직 한 달 보름은 더 있어야 하는데 등록금은 이달 말까지 넣어야 한다. 뿐만 아니라 다달이 월세도 보내 줘야 하고. 그나마도 미준이가 과외 아르바이트를 해서 비싼 책값이며 제 용돈 정도는 해결하니 다행이었다. 물론 마지막 학기라는 게 제일로 다행이지만 말이다.

'그래, 이번 가을만 견디면……! 힘내자, 윤미숙.'

다짐과 함께 전표를 살피는 손이 점점 더 빨라졌다.

이걸 다 정산해야 퇴근을 할 수 있다고 생각하니 벌써부터 마음이 급해지고 있었다. 빨리 정리하고 집에 가 대충 치우고 저녁 준비를 해야 했다. 그래야 하루 종일 땡볕 아래에서 일하고 돌아올 아버지와 입시 공부에 지친 막내를 맞이할 수 있을 것이다.

"미숙 씨!"

흠칫!

버스에서 내리기가 무섭게 낯익은 목소리 하나가 송곳처

럼 귀를 찔렀다. 돌아보니 고추장 물을 입은 것마냥 시뻘겋
게 번뜩이는 외제차 한 대가 마을로 접어드는 길 한복판에
떡하니 서 있었다. 그리 크지도 않은 것이 어쩌면 그렇게 거
만하게 서 있는지 버스가 별다른 항의 한 번 안 해 보고 부러
멀찍이 빙 돌아갔다. 그 차의 운전석에서 양재호가 느긋한
폼으로 손을 흔들고 있었다.

"저 김치 공장 사장 아들은 참 뻔질나게도 찾아온다잉."

"그거야 꽃이 있으니까 벌이 꼬이는 건 당연한 거 아녀?
근데 볼수록 김치 공장 아들인지 버터 공장 아들인지 구분이
안 가긴 혀."

"내 말이."

같이 내린 동네 아주머니들이 곁을 스쳐 가면서 장난스럽
게 웃었다. 처녀 총각 연애라도 하는 줄 알고 조금쯤은 놀려
주고 싶었나 보다. 그러나 나의 속사정은 그런 사소한 연애
감정 따위와는 아주 거리가 먼 것이었으니……

'저 사이코가 왜 또 왔지?'

대체 왜 자꾸 오는지 알 수 없으나 양재호, 그는 잊을 만하
면 한 번씩 나타나 잔잔한 나의 속을 확 뒤집어 놓고 사라지
는 인생의 빨간 테이프 같은 존재였다. 호환, 마마, 전쟁보다
무섭다는 그 빨간 테이프. 당연히 반가울 리가 없었다. 그에
자동 반응처럼 일그러지려는 얼굴을 간신히 펴고 나는 인정
상 고개만 까딱해 보인 다음 미친 듯이 돌아섰다.

휘이, 물러가라, 낮도깨비야.

"어어, 미숙 씨! 미숙 씨!"

만날 외면당하면서도 외면당했다는 사실에 또 충격받은 얼굴로 그가 후다닥 차에서 튀어나왔다. 그러곤 앞만 보고 척척 걸어가는 나의 팔뚝을 성급하게 잡아챘다.

"아, 진짜 이러깁니까?"

"……놓으세요."

"얘기 좀 하자고요."

"아, 네. 하세요…… 라고 할 줄 알았어요? 그쪽이랑은 할 얘기도 없고 듣고 싶은 말도 없으니까 이 팔 놓고 얼른 갈 길이나 가세요. 죄송하지만 제가 지금 엄청 피곤하거든요."

이거 놔라, 새꺄.

심순애도 아닌 것이 왜 남의 팔뚝을 잡고 지랄이냐. 아파 죽겠으니까 차라리 발목을 잡아라.

총알처럼 다다다 쏴 준 다음 붙잡힌 팔을 홱 뿌리치고 나는 얼른 튀었다. 한순간이라도 틈을 줬다간 또 붙잡혀서 되지도 않는 소리를 한참이나 듣고 있어야 한다. 안 그래도 피곤해서 기절하고 싶은 심정이라 여기서 더 힘든 일을 만든다면 이대로 그냥 쓰러질지도 몰랐다. 그리하여 전에 없이 용감하게 내질러 주고 후다닥 튀었는데 그런 보람도 없이 용의주도한 양재호 놈은 벌써 물 찬 제비처럼 땅을 박차고 훌쩍 뛰어 앞을 가로막고 있었다.

"잠깐!"

소리와 함께 몸이 홱 돌아갔다.

인상을 제법 사납게 구긴 양재호가 성마르게 소리쳤다.

"야, 너 진짜 뭘 믿고 자꾸 튕기냐?"

"허! 뭐, 뭐라고요?"

"아니, 일부러 찾아왔는데 번번이 너무하잖아요."

"기가 막혀서. 누가 오라고 했어요?"

"쳇, 하여간에 얘기 좀 합시다."

"무슨 얘기요? 왜요, 또 내 가슴 사이즈가 궁금해요?"

나는 이를 앙 물고 소리쳤다.

양재호는 나름 허우대 멀쩡한 서른두 살의 남자였다. 남자는 남자인데 한량 짓에 도가 튼 바람둥이 변태다. 비싼 밥 먹고 하는 짓이라는 게, 오늘처럼 불쑥 나타나 가슴만 뚫어지게 바라보다 문득 손가락으로 툭 가리키며 '거기 사이즈가?'라고 묻거나 대뜸 손바닥으로 엉덩이를 치고 튀는 식이었다. 그게 바로 지난주의 일이었다. 그 전 주에는 남자 경험을 물었고, 그전에는 밑도 끝도 없이 돈 자랑질을 하고 갔었다. 어쨌거나 아주머니들의 농담처럼 연애 감정을 키워 볼 만한 상대가 애초에 아닌 것이다.

"크흠, 아니 무슨 여자가 이렇게 사나워. 다른 여자들은 안 그러는데……."

제가 한 짓이 민망하긴 한지 그는 헛기침을 하며 슬며시 고개를 돌렸다. 그러면서 한다는 말이 또 가관이었다.

"방금 전에 만나던 여자랑 헤어지고 왔단 말입니다."

"그래서요?"

"……진지한 거 아니고 그냥 잠깐 만나는 거였습니다. 어쨌거나 다 정리했다고요."

"그래서 나더러 어쩌라고요?"

"사귑시다!"

"……!"

"연애하자고요. 진지하게!"

'진지하게'를 강조하면서 그가 눈을 부릅뜨고 나를 내려다보았다. 그 시선을 느끼기가 무섭게 머리 꼭대기가 뜨끈해지면서 갑자기 숨이 턱 막히기 시작했다. 가슴이 두근거려서가 아니라 너무 기가 막혀서. 날도 더워 죽겠는데 이젠 혈압도 오른다. 대체 뭐 이런 덜떨어진 놈팡이가 다 있나.

"오늘 엄청 더웠죠?"

그 못지않게 심각한 어조로 나는 말했다.

"이달 들어 최고로 높은 기온이었다고 뉴스에서 그러더라고요."

"에? 뭐, 그야 여름이니까……."

"자꾸 헛소리를 하시는 거 보니까 아무래도 더위를 드신 것 같은데 얼른 집에 가세요. 더위 먹은 덴 약도 없다고 하잖아요. 에어컨 빵빵하게 틀어 놓고 냉수 한 잔 하시는 게 좋을

선본남자

것 같네요."

"⋯⋯!"

"그리고 나 때려죽여도 그쪽이랑은 연애하고 싶은 생각이 없으니까 다시는 찾아오지 마세요."

냉정한 일갈과 함께 나는 후딱 돌아서서 미친 듯이 뛰었다.

돌아가신 엄마가 그랬다. 자고로 도박, 술, 여자에 빠진 남자는 아무리 허우대가 멀쩡하다고 해도 절대로 가까이하는 게 아니라고 말이다. 양재호는 여자를 즐기는 남자였다. 안 그래도 수시로 바뀌는 여자 문제로 이 좁은 지역사회에 벌써 소문이 자자했다. 워낙 손이 귀한 집이라 여자가 수시로 바뀌든 말든 그 집안에서는 그저 오냐오냐 한다는 사실과 함께.

"진지하게는 무슨! 석 달만 즐기고 바로 차 버리는 것도 진지한 거냐? 하여간에 나쁜 놈. 콱 병이나 옮아라."

대문간으로 들어서면서 나는 그렇게 인생 최대의 저주를 퍼부어 주었다. 그런 놈에게 찍혀서 때마다 피곤한 일을 겪고 있는 스스로가 불쌍하기까지 했다. 하루 이틀도 아니고 벌써 반년째가 아닌가 말이다. 하늘도 무심하시지. 내가 뭘 잘못했다고 이런 지저분한 시련을 겪게 하시나.

"진드기 같은 자식. 그런 놈들은 아예 남자구실을 못하게 만들어 버려야 돼. 암튼, 귀신은 뭐하나 몰라. 그놈 안 잡아

가고."

쌀 씻어 안치고 부랴부랴 찌개를 끓이면서도 중얼거림이 쉬이 그쳐지지 않았다. 시집 못 간 노처녀가 타령까지 한다고 할까 봐 혼자서 주절거리는 건 별로 하고 싶지 않았지만 쌓인 피로가 많은 만큼 오늘따라 입이 쉬이 다물어지지 않는다. 해가 서쪽으로 뉘엿뉘엿 넘어가고 있었다.

"올해는 사과가 참말 좋다."

저녁 무렵 흙투성이가 된 바지를 털면서 들어온 아버지가 대강 씻고 밥상 앞에 앉자마자 환하게 웃으며 한 말이었다.

"올해는 바람도 잘고 비도 없어서 그런지 사과가 아주 이쁘게 빠졌다잉. 잘만 여물면 엄청 달겄어."

"그래요? 그럼 값도 좀 더 받을 수 있겠네요?"

"암만! 이대로만 가면 너 시집보낼 돈은 충분히 나올겨."

"예? 시, 시집요?"

"클클, 정애 할매가 너 선보인다고 하더라. 좋은 자리라고 입에 침이 마르던디."

"어머, 벌써 다녀가셨어요?"

고집이 센 만큼 발도 빠른 정애 할머니.

벌써 바람처럼 달려와 아버지에게 맞선에 대한 일을 구구절절 설명하고 '그날 꼭 내보내마.' 하는 약속까지 받아 가지고 갔단다. 어지간하면 기회를 봐서 정중히 사양할 생각이었는데 이렇게 되면 내가 손을 쓸 틈이라곤 아예 없어지고 만다. 다시 한 번 패배감을 느끼며 나는 입술을 씹었다.

"갈 때가 되긴 했지."

타들어 가는 딸내미의 속도 모르고 아버지가 껄껄 웃었다.

"올 가을에 하면 참 좋겠다잉. 그챠?"

"아이고, 됐어요. 저 아직 결혼할 생각 없으니까 괜한 말씀 하지 마시고 얼른 저녁이나 드세요. 선본다고 다 결혼하나 뭐?"

"하면 좋은 것이지. 엄청 잘난 사람이라는디."

"엄청 잘난 남자가 왜 이런 시골에서 여자를 찾는대요? 다 뭔가 문제가 있으니까 그런 거죠. 혹시 알아요? 술 마시고 도박하는 남자일지. 그게 아니면 여자를 때리는 놈이거나 혹은 뒤로 감춰 둔 여자가 한 다스쯤 된다거나."

"에이, 설마……."

"글쎄 '설마'가 아니라니까요?"

어림도 없다는 듯 나는 단칼에 말을 잘랐다.

어차피 되지도 않을 일에 공연히 기대를 걸게 만들 수는 없었다. 지금은 결혼을 할 때가 아니라 미준이 등록금을 마련할 때니까. 더구나 항상 느끼는 거지만 그 '설마'가 종종 사람을 잡지 않던가. 행운과는 아주 거리가 먼, 뒤로 넘어져도 코가 깨지는 윤미숙 팔자대로라면 딱 양재호 같은 놈이 나와 복장을 확 뒤집어 놓을지도 모르는 일이었다.

"돈 생기면 농협에 이자부터 넣어야지 결혼은 무슨…….

암튼 그 일은 제가 알아서 할 테니까 아부지는 신경 쓰지 마세요."

맞선에 대해 나는 벌써 머릿속으로 이리저리 계획을 세워 놓은 상태였다. 어차피 만날 수밖에 없다면 그냥 나가서 차나 한잔하고 돌아오면 그만이었다. 차 마시고…… 그냥 그 자리에서 거국적으로 걷어차이면 된다. 가능하면 빼도 박도 못하도록 단박에! 시골 여자도 콧대가 하늘을 찌를 수 있음을 증명해 주면 제가 알아서 달아나겠지.

그런 생각과 함께 나는 남몰래 회심의 미소를 지었다.

굳이 진상을 떨지 않아도 차이는 방법은 얼마든지 많고, 그것은 곧 나의 신상에도 이로운 일이 될 것이었다. 아, 상대가 싫다는데 고집쟁이 정애 할머니인들 어쩔 것이냐 말이다. 장담하건대, 이 계획대로만 된다면 오고 가는 시간까지 합해 넉넉잡아 한 시간이면 충분히 결론을 볼 수 있을 것이다.

일찍 일어나 밭에 잠깐 나가 보고 오후엔 밀린 집안일을 해야 하니까 역시 점심때가 조금 지난 시간으로 약속을 잡는 것이 좋을 것 같았다. 그래야 밥상을 사이에 두고 앉을 필요도 없이 계획대로 차나 한잔 마시고 가뿐하게 헤어질 수 있을 테니까 말이다. 암, 시간은 절약할수록 좋은 것이지.

"다행이다, 사과가 잘되어서. 그럼 대출을 좀 더 쓰고 사과 따면 갚을까?"

설거지를 하면서도 나의 머릿속은 바쁘게 돌아갔다.

맞선에 대한 생각은 이미 사라진 지 오래였다. 대신 하루 종일 머리를 아프게 만들었던 미준이 등록금 생각이 또 머릿속을 온통 점령하고 있었다. 목돈이 들어가는 일이라 그런지 나로서도 도저히 그 생각을 멈출 수가 없었다. 대체 어딜 가야 돈을 좀 더 수월하게 마련할 수 있으려나.

"이자는 얼마나 되려나? 미주 등록금도 준비를 해 놓아야 할 텐데……."

그때였다.

인기척도 없이 갑자기 문이 슥 열리더니 교복을 입고 커다란 가방을 짊어진 막내가 불쑥 들어왔다. 더위 속에서 공부하느라 지쳤는지 어깨가 축 늘어진 것이 기운이라곤 하나도 없어 보이는 모습이었다.

"이제 오니?"

"……응."

"배고프지? 밥 차릴까?"

"생각 없어."

걱정하고 있는 걸 아는지 모르는지 미주는 우울이 착 달라붙은 얼굴로 무심히 대꾸하며 휘청휘청 내 앞을 스쳐 지나갔다. 그 모습이 아무래도 마음에 걸려 재빨리 따라붙었다.

"왜 생각이 없는데?"

"그냥 없어."

"밥 싫으면 냉면이라도 해 줄까?"

"됐어, 나 잘 거야."

탁!

냉랭한 말을 끝으로 코앞에서 문이 탁 닫혔다.

그 버릇없는 모습에 순간 울컥했지만 무한한 인내심을 발휘해 나는 그냥 참는 쪽을 선택했다. 막내가 얼마 전에 기말고사 성적표를 받았다는 사실을 기억해 낸 것이다.

하지만 아무리 고3이라고 해도 최근 그 애의 태도는 확실히 이상했다. 미주는 막내답지 않게 애늙은이 같은 성격이라 전엔 아무리 힘든 일이 있어도 양반처럼 '허허' 웃다가 털어내곤 했었다. 아직 벌어지지도 않은 일을 가지고 온갖 근심 걱정을 해 가며 사서 고생을 하는 나하고는 성격부터가 판이하게 달랐다.

"성적이 떨어져서 그러나?"

성적이 왕창 떨어져서 신경이 잔뜩 곤두선 게 아닌가 생각하다 나는 그냥 고개를 저어 버렸다. 하도 느긋한 성격이라 막내는 성적이 많이 떨어져도 '다음에 더 잘 보면 되지.'라며 그냥 웃고 넘길 애였다. 좋을 때가 있으면 나쁠 때도 있는 거라고 하면서. 막내의 성적에 예민한 건 오히려 나였다. 나는 점수에도 예민하고 등수에도 관심이 많았다. 조금이라도 더 시험을 잘 봐야 나중에 학비가 저렴한 국립대학에 입학할 수 있을 거라는 단순한 계산에서였다.

"대체 무슨 일이지?"

한숨을 삼키며 나는 다시 입술을 깨물었다.

아무튼지 간에 하루 날을 잡아 진지하게 얘기를 좀 해 봐야 할 것 같았다. 무슨 일이 있는 게 분명한데 말을 안 하는 게 너무 신경 쓰여서 더는 그냥 둘 수가 없었다.

"나쁜 계집애, 오늘은 봐준다. 일단 미준이 등록금부터 해결하고 나서 보자. 으응?"

팰 땐 패더라도 몇 마디 얘기 정도는 들어 주리라.

야무지게 마음먹고 서둘러 남은 설거지를 마저 마쳤다. 그러곤 밀린 청소에 해도 해도 티가 안 나는 집안 정리까지 해 두고서야 간신히 방으로 들어올 수 있었다.

"아이고, 허리야."

코딱지만 한 방으로 들어서기가 무섭게 나는 네 발로 엉금 엉금 기기 시작했다. 하루 종일 동동거리느라 잠시 잊고 있던 피곤이 한꺼번에 몰려와 온몸을 내리누르고 있었다. 그리 통통한 체격이 아님에도 불구하고 마치 코끼리를 짊어지고 있는 것처럼 몸이 무겁게 느껴질 정도였다.

"아아, 죽겠다."

대강 씻은 얼굴에 로션을 발라 주는 것조차 귀찮아 맨바닥에 그냥 길게 드러누웠다. 서늘한 기운이 등을 타고 빠르게 온몸으로 번져 간다. 그 기분 좋은 서늘함을 잠시 만끽하다 누운 채 손을 들어 그것을 멀거니 바라보았다. 갈라진 손톱, 밭일과 물일에 거칠어진 손등. 내 것 같지 않은, 볼품없는 손이 오래된 형광등 불빛 아래에서 가늘게 흔들리고 있었다.

"힘들다."

무의식중에 한마디 중얼거리다 퍼뜩 입을 다물었다.

엄마가 갑자기 돌아가신 이후부터, 그러니까 18살부터 줄곧 해 온 일인데도 아직 이력이 붙지 않은 건지 아니면 점점 꾀가 느는 건지 요즘 들어 힘들다는 소리를 더 자주 하고 있는 것을 느낀다. 곧 서른이라고 벌써 나이 먹은 티를 내는 건가?

"아니야, 아직 늙은 건 아니라고. 그냥 여름이라서 체력이 조금 떨어진 것뿐이지."

손이 툭 떨어졌다.

윤미숙, 29세. 연애 경험 전무. 심지어 이 나이가 되도록 키스도 한 번 못해 본 노처녀. 하지만 괜찮다. 한 번도 피어보지 못하고 그냥 이렇게 늙어 간다는 사실이 조금 억울하긴 하지만 그래도 괜찮다. 아직은 견딜 만하니까. 그리고 언젠가는 나에게도 꽃처럼 행복한 시간이 찾아올지도 모른다는 작은 희망이 있으니까.

나는 반듯하게 누워 빛바랜 천장을 바라보았다. 그러곤 마치 스스로에게 최면을 걸듯 중얼거렸다.

"나는 괜찮다. 진짜 진짜 괜찮다. 윤미숙은 괜찮다. 천하무적이다."

천하무적이니까 못하는 일도 없다.

몇 번이나 중얼거리는 사이 노곤한 몸이 편하게 늘어지면서 곧 까무룩 잠이 들었다. 잠들기 직전, '훈남이랴.' 하던 정애 할머니의 말과 함께 아주 잠깐 맞선에 대한 생각이 스쳐 갔지만 곧 까맣게 잊혀졌다. 한여름 밤이 그렇게 저물었다.

—마주치는 눈빛이이~ 무엇을 말하는지 난 아직 몰라. 난 정말 몰라. 가슴만 두근두그으은~ 아아, 사랑인가 봐.

오래된 전축에서 그만큼이나 오래된 노래가 흘러나오고 있었다. 가수도, 노래 제목도 잊어버렸지만 어렸을 땐 나도 곧잘 따라 부르곤 하던 그 노래였다. 어쨌거나 오늘따라 유난히 더 발랄하게 들리는 그 노랫소리에 잠깐 정신줄을 걸어 놓고 나는 멍하니 생각했다. 왜 하필이면 '복다방'인가 하고.

작은 읍내긴 하지만 그래도 돌아보면 꽤 그럴듯한 커피숍도 있고 레스토랑도 몇 개나 되는데 그 많은 것 다 놔두고 왜 하필이면 읍내에서 제일 오래되었다는 복다방에 앉아 선을 봐야만 하나. 이유는 단 하나였다.

정애 할머니가 그렇게 정했으니까!

때가 타서 거의 회색으로 보이는 벽에, 너덜거리는 소파, 야한 수영복을 입은 여자들의 사진이 벽마다 걸려 있는 실내를 주욱 돌아보다 나는 길게 한숨을 내쉬었다. 이 상태면 내가 별말을 안 해도 상대가 먼저 도망을 가지 싶다. 시골에서

만 살아온 나조차 갑자기 80년대로 건너뛴 기분이 드는데 서울에서 내려올 사람의 감상이야 오죽할까.

더구나 내 몰골은 또 어떤가.

첫날 이후 맞선에 대한 일을 까맣게 잊어버리는 바람에 나는 하마터면 이 자리에 나오지도 못할 뻔했다. 어제 저녁에 정애 할머니랑 전화 통화까지 했음에도 불구하고 어쩌면 그렇게 까맣게 잊었는지 약속 시간을 30분 남겨 두었을 즈음 밭으로 부랴부랴 달려온 할머니를 보고서야 간신히 맞선에 대한 일을 기억해 낼 수 있었다.

어쨌거나 그 덕분에 시간이 없어 화장도 못했고, 밀린 빨래를 한답시고 아침 일찍 옷이란 옷은 죄다 빨아 버린 탓에 몸엔 청바지와 흰 티셔츠만 간신히 걸쳤다. 거기까지만 했으면 말을 안 한다. 나는 노랑 고무줄로 질끈 묶은 머리에 흰색 야구 모자까지 쓰고 있었다. 감지 않아서 기름기가 잘잘 흐르는 머리칼 때문에 차마 벗을 수도 없는.

진상도 이런 진상이 없었다.

너무 엄청난 몰골이라 얼굴만 봐도 '아, 이 여자는 어른들 등살에 못 이겨 어쩔 수 없이 끌려 나왔구나.' 라는 인상을 줄 게 틀림없었다. 그보다 더 심하면 아예 짝짝이 들고 북한에서 온 응원단원 중 하나로 봐 주거나.

'아, 망했다.'

민망함 탓인가 아니면 더위 탓인가.

속에서부터 열기가 훅훅 불어오는 듯해 부지런히 손부채질을 해 보았다. 하도 뛰어서 눈앞이 노랗고 얼굴은 불이 붙은 듯 온통 화끈거리고 있었다. 상대가 아직 도착하지 않은게 그나마 다행이라면 다행이었다.

　"에어컨이 고장 나서 그래. 조금만 있으면 금세 시원해질거야. 여기가 바람이 잘 들어서 평상시에도 그냥 서늘하다니까."

　더위 때문인 줄 알고 환갑을 넘긴 마담 할머니가 나를 향해 어색하게 웃어 보였다. 그제야 털털거리면서 돌아가는 낡은 선풍기가 보였다. 바쁘게 팔랑거리던 손에서 힘이 쭉 빠졌다. 재빨리 손을 내리고 황급히 고개를 저으며 말했다.

　"아, 괜찮아요. 신경 쓰지 마세요. 많이 더운 날은 아닌데, 시간에 못 맞출까 봐 제가 급하게 뛰어오는 바람에……."

　"아니, 아직 시간도 남았는데 뭐하러 그렇게 서둘렀대. 그냥 천천히 오지. 남자도 아직 안 왔구먼."

　"그, 그러게요. 하하."

　"흥, 웃기지털 말어. 내가 바짝 서둘지 않았으면 아예 못올 뻔했다니게. 저 가시내가 까맣게 잊어 먹고 있었어야."

　막걸리 들이켜듯 냉수를 시원하게 들이켠 정애 할머니가 큰소리로 타박을 주었다. 그러곤 이마의 땀을 닦을 새도 없이 내 손을 꼭 붙잡고 말했다.

　"혹시라도 딴맘 먹을까 봐 하는 소린디 말여, 귀한 사람이니게 절대로 실례되는 짓은 하지 말아야 헌다. 다정허니 말도 좀 곱게 하고. 평상시마냥 잘났다고 입에서 나오는 대로 아무렇게나 내지르지 말란 말여. 알았냐?"

"예? 아, 예."

"그리고 어지간하면 그냥 이 사람 꽉 잡아. 이 자리가 보통 자리가 아녀. 결혼만 하면 너는 하루아침에 팔자가 확 펴는 거라니께. 어지간해서는 몸 고생, 맘고생 할 일도 없을 것이고. 그래서 내가 맘먹고 일부러 여기로 온 거 아녀."

"……?"

"여기가 '복다방' 이잖여. 옛날부터 여기서 선본 사람들은 이혼이고 뭐고 없이 아들딸 낳고 끝까지 잘 살았구먼. 분위기는 이래도 터가 엄청 좋은지 여기서 선보고 결혼만 하면 그렇게들 잘 살아. 옛날부터 유명했었어."

입에 침이 마르도록 다다다 늘어놓는 소리에 나는 조금 허탈하게 웃었다. 솔직히 처음 듣는 소리였다. 언제부터 그렇게 유명했는지 모르겠지만 내가 못 들은 걸 보면 보나마나 엄청 오래전의 이야기가 분명했다. 설마 정애 할머니가 내 나이 때의 일이었던 것은 아닐까? 맨주먹 붉은 피를 부르짖던 그 시절의 유행 같은 거였다거나.

'그런 건 좀 잊어 주시지. 요즘 다방에서 선보는 사람이 어디 있다고 쪽팔리게.'

속은 그러했으나 차마 말은 못하고 나는 또 멍청하게 웃으며 그저 물만 축냈다. 어차피 차 한 잔만 마시고 금방 헤어질 생각이었으니 어쩌면 이렇게 된 게 오히려 잘된 일일 수도 있었다. 물론, 시간 들이고 힘들이고 돈까지 들여서 먼 길을 내려올 사람의 입장에서는 '이게 웬 자연재해야.' 라고 할 만한 일이긴 했지만.

'애당초 선 한 번 보겠다고 이 시골까지 내려오는 게 더 이상한 거야. 대체 뭘 기대하고 오는 거지?'

약간의 의문이 뇌리를 스쳐 갔지만 곧 지워 버렸다.

노총각이니 급했나 보지. 그쪽도 할머니 등살에 못 이겨 억지로 내려오고 있는 것인지도 몰랐다. 스물아홉도 서른이라고 우기면서 선을 보라고 성화를 부리는데 서른셋은 오죽했을까. 그래, 그런 거다. 갑자기 한결 마음이 편해졌다. 피차 그런 거라면 대강 차나 마시고 헤어지려는 내 계획에도 선선히 동의를 해 줄 터였다. 아, 이왕이면 미련 없이 시원하게 차 달라고 부탁할까?

'좋았어. 한 시간도 아까우니까 30분만 개기다 냉큼 돌아가 밀린 일을 해치우자. 청소부터 할까?'

언제 걱정을 했던가 싶게 나는 금방 잔뜩 밀린 집안일로 관심을 돌려 버렸다. 그렇게 간신히 급한 숨을 돌리고 있을 때였다. 느릿느릿 움직이던 시곗바늘이 마침내 정확하게 약속 시간을 가리키고 핸드폰에서 꼬맹이가 '1시!' 라고 외친 순간, 별다른 소음도 없이 출입문이 열렸다. 그리고 한낮의 눈부신 햇살과 함께 그가 들어왔다.

"아이고, 왔나 봐."

입구에서 서성이던 마담 할머니의 외침에 약속이나 한 것처럼 모두의 고개가 일제히 그쪽으로 돌아갔다.

모자를 쓴 탓에 얼굴보다 막 문턱을 넘어온, 짙은 은회색 슈트에 휘감긴 기다란 다리가 먼저 눈에 들어왔다. 자르르 윤기가 흐르는 바짓단 끝에서 매끈하게 닦인 까만 구두가 햇볕을 받아 반짝 빛을 뿌렸다. 문득 눈이 부신 듯해 나는 눈을 가늘게 뜨고 그 빛나는 발끝부터 천천히 더듬어 올라갔다. 남자는 생각보다 다리가 참 길었다. 적어도 키가 작아서 결혼을 못 한 건 아니라고 주장하듯 길게 뻗은 두 다리가 단단하게 땅을 딛고 서 있었다.

긴 다리 끝에서 역시 슈트에 휘감긴, 늘씬하면서도 단단한 허리 라인이 나타났다. 뚱뚱하지도 마르지도 않았다. 아무리 보고 또 봐도 둥그렇게 부풀어 오른 뱃살이나 지나치게 헐렁해서 천이 남아도는 허접한 모습 따위는 전혀 찾아볼 수 없었다. 옷 위로 드러난 선이 꽤 단단하면서도 날렵해 보이는 것이 몸매 하나는 정말로 미끈하게 잘빠진 사람 같았다. 그 사실에 괜히 감동하며 나는 남몰래 입술을 씹었다. 간신히 식어 가던 얼굴이 도로 벌겋게 달아오르고 있었다.

고급스러운 비즈니스 슈트에 잘 닦인 구두.

'망해 먹을!'

그가 주름 하나 없는 깔끔한 양복에 새하얀 와이셔츠, 그리고 넥타이까지 완벽하게 차려입고 있다는 사실을 깨닫자마자 잠시 잊고 있던 민망함이 다시 해일처럼 밀려왔다. 윤미숙, 이 바보. 원피스 하나 정도는 그냥 남겨 둘걸. 이른 아침부터 뭐하러 그렇게 잔뜩 부지런을 떨어서는……

'내가 잘못했소이다. 나를 향해 돌을 던지시오. 너무 힘껏 던지지만 않으면 내 기꺼이 맞아 주겠소.'

갑작스러운 죄책감에 몸이 다 떨렸다.

아무리 싫었어도 그렇지 너무 무성의한 모습으로 나왔다고 예의 따윈 두엄 밭에 버리고 왔냐는 소리를 들을까 봐 벌써부터 간이 조마조마했다. 너무 쪽팔려도 지레 심장마비 같은 건 일으키지 말자고 마음을 단단히 먹고 왔는데도 그 모양이었다.

울상이 된 얼굴로 오늘따라 더 후줄근하게 보이는 티셔츠를 매만지며 나는 슬그머니 그를 돌아보았다. 그가 성큼성큼 다가오고 있었다. 고장 난 스프링 인형처럼 몸이 저절로 벌떡 솟구쳤다.

예상보다 키가 훤칠하게 큰 사람이었던 터라 몸을 일으키고도 모자라 고개를 완전히 뒤로 젖혀서야 나는 비로소 그의 얼굴을 볼 수 있었다. 그리고…… 순간 숨이 멎었다.

'우워어어어억!'

그것은 매우 충격적인 등장이었다.

적어도 나에겐 그랬다. 피할 새도 없이 시선이 마주친 순간 나는 그대로 얼음이 되어 버렸다. 눈을 잔뜩 부릅뜨고 입까지 벌린 채 그대로 움직임을 멈추고 말았다. 무심코 본 얼굴 하나에 여린 신경줄이 바르르 경련을 일으키고 있었다. 동공이 확 열렸다.

시, 심봤다!

저 멀리서 '훈남이랴.' 하던 정애 할머니의 목소리가 까마득하게 메아리치고 있었다. 정말이다. 정애 할머니의 말이 맞았다. 아니, 오히려 모자라다.

'훈남'이라는 말이 민망할 정도로 선명한 이목구비였다.

남자답지만 너무 깨끗해서 잡티 하나 없어 보이는 얼굴에 숯덩이처럼 새카만 눈썹과 넓고 반듯한 이마, 우뚝 솟은 콧날은 명암이 선명하고, 가늘게 쌍꺼풀 진 긴 눈꺼풀 속에서는 흑단처럼 새카만 눈동자가 무심히 빛나고 있었다. 제법 거리가 있음에도 불구하고 그 모든 것들이 한눈에 보일 정도로 훤한 얼굴이었다.

얼굴에도 품격이라는 게 있는 것일까?

이제야 둥실 태양이 떠오른 것처럼 후줄근한 다방 안이 갑자기 환해진 것만 같았다. 나는 그렇게 남자의 머리 뒤에서 일렁이는 찬란한 후광을 보았다. 할렐루야!

'후아, 후아.'

쿵쾅쿵쾅.

미친 듯이 심장이 널을 뛰고 갑자기 호흡곤란도 찾아왔다. 그는 마치 잡지 속에서 막 튀어나온 사람처럼 보였다. 잘생겨도 너무 잘생겼다. 너무 잘생겨서 무섭다는 생각이 들 정도였다. 살아생전 그처럼 잘생긴 남자는 본 적이 없었다.

주제도 모르고 벌컥거리며 피를 확 토해 내는 심장 때문에 얼굴이 후끈 달아오르고 관자놀이에선 계곡물처럼 서늘한 식은땀이 흘렀다. 잔뜩 긴장한 등줄기를 따라 촉촉한 땀방울이 맺히는 것이 느껴질 정도였다. 아, 어지러워. 갑작스러운 현기증에 시달리며 생각했다.

'절대로 맞선을 보러 온 사람이 아닐 거야.'

막말로, 저런 남자가 뭐가 아쉬워서 이 시골까지 선을 보러 오나.

길바닥에 가만히 서 있기만 해도 여자들이 파리 꼬이듯 꼬일 텐데 서른셋이나 되도록 장가를 못 갔다는 건 말이 안 된다. 그러니 장담하건대 그는 결코 내가 기다리는 그 사람이 아닐 것이다.

"아, 아닌가?"

엄청난 미모와 분위기에 압도당했는지 정애 할머니도 슬그머니 꼬리를 내렸다. 그 모습까지 보자 진한 안도감과 함께 감당이 안 될 정도로 무지막지한 실망감이 찾아왔다.

아니, 실망이라니? 어차피 차만 마시고 헤어지기로 결심한 주제에 웬 실망을?

'대체 무슨 생각을 하는 거냐, 윤미숙. 넌 차여야 돼!'

지나치게 상반된 감정 앞에서 스스로도 갈팡질팡하며 나는 무너지듯 스르르 주저앉았다. 주저앉고 나서야 이 숨 막히는 안도감의 정체를 깨달았다. 그래, 저 잘생긴 남자가 상대가 아닌 게 천만다행이었다. 덕분에 죽었다 깨어나도 그에게 차일 일은 없지 않나.

'하긴, 윤미숙 팔자에 저런 훈남은 가당치도 않지.'

스스로의 생각에 나는 즉각 수긍했다.

애당초 남자는 나의 이상형과도 아주 거리가 멀었다. 다시 말하지만 나는 대놓고 평범한 남자가 좋았다. 너무 잘나지도 못나지도 않은 평범한 외모에, 평범한 직장, 그리고 무엇보다 평범한 성격과 평범한 가족을 가진 같은 지역사회 출신의 남자. 평균보다 조금 모자라는 내가 들어가도 전혀 티가 나지 않을 만큼 평범한…… 결혼을 하게 된다면 그런 사람과 하고 싶었다. 가능하다면.

생각은 길고 시간은 짧았다.

그사이에도 남자는 나를 향해 천천히 다가오고 있었다. 나의 애타는 바람과 달리 그는 긴 다리로 뚜벅뚜벅 걸어와 마침내 내 앞에 우뚝 멈추어 섰다. 그리고……

"윤미숙 씨?"

"헉!"

아부지 맙소사!

기겁을 하고 놀라 나도 모르게 앉은 자리에서 또 펄쩍 뛰어올랐다. 우르르. 난데없이 하늘이 무너지는 소리가 들려오는 듯했다. 그러나 실제로 들려온 것은 하늘이 무너지는 소리가 아니라 발랄하게 찢어지는 그 노랫소리였으니…….

—마주치는 눈빛이이~ 무엇을 말하는지 난 아직 몰라. 난 정말 몰라. 가슴만 두근두그으은~ 아아, 사랑인가 봐.

"딸꾹!"

아니, 그 노래는 이제 그만 좀…….

벌써 여섯 번이나 들었는데. 새파랗게 질린 얼굴로 어정쩡하게 마담 할머니를 돌아보자 그녀는 또 어색하게 웃었다.

"전축도 고장 났어야. 뭐가 불만인지 어제부터 자꾸 한 노래 또 하고 또 하고 지랄이네."

할머니, 그건 고장이 난 게 아니라 그냥 무한 반복 버튼이 눌린 거예요.

어느새 꾹 움켜쥔 주먹이 바들바들 떨렸다. 울고 싶어도 눈물이 안 난다더니 내가 딱 그랬다. 아, 이놈의 더러운 팔자. 이제 나 윤미숙은 꼼짝없이 저 무섭게 잘생긴 남자와 마주 앉아야만 했다. 스스로 정해 놓은, 그 뻔한 결말을 온몸으로 맞이하기 위해서.

"저, 점심 아직 안 드셨죠?"

그렇게 내지른 것은 불행하게도 윤미숙 본인이었다.

어지간하면 차나 한 잔 하고 찢어지자고, 시간 아깝게 밥상 놓고 마주 앉지 말자고 다짐했던 일이 무색하게시리 입에선 아주 쉽게도 밥 소리가 나왔다. 아니, 아니다. 솔직하게 말하자면 이것도 결코 쉬운 일은 아니었다. 식은땀 뻘뻘 흘려 가며 한참 동안 고민을 한 다음 맘속으로 몇 번이나 연습을 한 후에야 마치 생사대결을 하듯 간신히 내뱉을 수 있었다. 그리고 나선 스스로도 놀랄 만큼 엄청나게 당황하고 말았다.

흥분으로 인해 벌겋게 달아오른 얼굴로 짧은 순간 뒷수습에 골몰해 보았다. 그러나 거기서 뭐라 더 말할 새도 없이 남자가 먼저 몸을 일으켰고 나는 또 아주 당연한 수순처럼 밥집을 향해 앞장을 서게 되었다. 상황이 거기까지 발전하자 정말로 눈앞이 아득해지기 시작했다. 시간이 좀 쓰인다 뿐이지 밥 먹는 일이 뭐 어려울까 마는 일도 일 나름이었다.

'미숙아, 저런 남자를 앞에 두고 어떻게 밥을 먹을 생각이니, 넌? 으응? 먹을 때 소리라도 나면 어떻게 하려고?'

밥알을 목구멍 너머로 무사히 넘길 수 있을까?

애타는 시선으로 곁에서 느긋한 자세로 걷고 있는 남자를 흘긋거렸다. 가까이에서 본 그는 약간의 거리를 두고 보았을 때보다 확실히 더 잘생겨 보였다. 무엇보다 숱 많은 눈썹과 긴 눈매, 굳게 다물린 붉은 입술 선이 덮치고 싶을 만큼 아찔하게 다가왔다. 그 섬세한 선 하나만 놓고 봐도 어지간한 귀인의 뺨을 치고 남을 것 같았다.

눈에 띌 만큼 훤칠한 키에 자세도 얼마나 단정하고 반듯한지 무심히 내뻗는 손길 하나조차도 점잖고 우아해서 시선이 떨어지지 않을 정도였다. 거기까지만 해도 거의 숨이 막힐 지경이었다. 그런데 남자는 그 모든 것들을 하찮게 만들 정도의 무시무시한 분위기까지 가지고 있는 거다. 그것은 그냥 가진 자의 여유 정도가 아닌 위압감, 혹은 카리스마라고 부를 만한 것이었다.

그래, 그거다.

킬리만자로를 오르는 한 마리의 미끈한 표범. 휘몰아치는 눈보라를 당당히 맞으면서 끝끝내 산꼭대기까지 올라가 세상을 향해 포효하는 한 마리 맹수를 상상하며 나는 부르르 몸을 떨었다. 그러고 보니 생긴 건 딱 귀족이요 선비인데 선뜻 다가오는 첫 느낌은 무서울 만큼 야성적인 사람이었다. 그 지극히 상반된 분위기에 힘입어 냉정하고 차가운 카리스마로 주변을 압도하는 그의 모습이 마치 신기루처럼 눈앞에서 어른거렸다. 또 다른 의미로 나는 그가 무서워졌다.

덕분에 그와 마주 앉아 있는 내내 스스로가 아주 하찮게 느껴지는 위험한 경험을 해야만 했다. 어쩌다 눈이라도 마주치면 순간 모든 것이 확 까발려지는 듯한 느낌이 몰려와 정신이 번쩍 들었다. 당장이라도 바닥으로 내려가 무릎을 팍 꿇고 싶은 걸 참느라고 남몰래 이까지 악물었다.

안 그러려고 해도 그의 깊고 무심한 눈길이 느껴지면 순간 본능적으로 '위험' 코드에 빨간 불이 들어오면서 전신이 바짝 긴장을 해 버리는 걸 도저히 멈출 수가 없었다. 탁자 밑에서 마주 잡은 손이 바들바들 떨렸다. 그리고 정말로 숨이 딱딱 막히는 긴 침묵의 시간이 이어졌다.

과묵한 성품인지 남자는 줄곧 말이 없었고 나는 나대로 엄청나게 긴장을 해 버린 탓에 계속해서 이를 악물고 있는 상태였다. 당연히 무언가를 묻거나 대답하는 일 따위는 없었다. 그도, 나도 그저 똑바로 마주 앉아 서로를 잡아 죽일 듯이 바라본 것뿐이다. 모르는 사람이 보았다면, 무슨 원수 집안사람끼리 마주 앉았다고 생각할 수 있을 정도였다.

그 상태로 우리는 그 후줄근한 복다방에서 설탕이 듬뿍 들어간 다방 커피를 축내며 한 시간을 버텼다. 그러다 마침내 공기구멍을 뚫듯 내가 먼저 그렇게 '밥 소리'를 내지른 것이다. 그 무시무시한 얼굴에다 대고 '저기, 취미가⋯⋯.' 라고 내지를 만한 용기는 없으면서 밥 먹자는 소리는 어떻게 할 수 있었는지 스스로도 신기할 지경이었다.

혹시 생존 본능이었을까? 하지만 역시 어쩔 수 없었다. 무심한 남자의 얼굴에서 '뭐야, 이 후줄근한 여자는?' 이라는 말 대신 아주 다행스럽게도(?) 순간 스쳐 가는 '허기'를 읽어 버렸고, 서울로 유학 보내 놓은 남동생을 가진 나로서는 그걸 그냥 무시할 수 없었으니까 말이다. 그래, 내가 가진 거라곤 마이너스 통장과 바다 같은 모성애밖에 없다.

오죽하면 예전에 선본 어떤 남자가 나를 향해 '미숙 씨는 우리 엄마 같아요.' 라는 소리를 다했겠는가. 물론, 나는 그때 너무나 어리고 철이 없어서 그의 엄마가 나만큼이나 예쁘다는 소리로 알아들었었다. 나중에 아주 우연히 태평양처럼 후덕하기 이를 데 없는 몸매의 그의 엄마를 생눈으로 목격하고 서야 진실을 깨달았을 뿐이다.

그나저나 커피 한 모금 들이켜는 일도 그렇게 힘에 겨웠는데 이제 마주 앉아 밥을 먹어야 한다니. 이거 정말 큰일 아닌가?

평소 다니던 식당으로 들어서면서 나는 지레 그런 걱정을 해 보았다. 그리고 다시 그와 마주 앉기도 전에 그 많은 레스토랑을 놔두고 하필이면 후줄근한 돼지갈빗집을 고른 스스로의 선택에 대해 깊이 절망하고 말았다.

'아, 왜 이렇게 되는 일이 없지?'

뜻대로 되는 일이 하나도 없다는 생각마저 들자 이제는 거의 울고 싶은 마음까지 들었다. 어쩌면 이건 인연이 아님을 알리는 신의 계시 같은 것일지도 몰랐다. 하긴, 신이 아니라 거지가 봐도 우리는 그다지 어울리는 커플이 아니긴 했지만 말이다. 임금님과 무수리라면 모를까 아무리 잘 봐 준다 해도 연인으로는 어림도 없다.

더구나 맨 처음, 너무도 무심하여 흡사 칼날 같기도 하고 얼음 조각 같기도 한 남자의 서늘한 시선과 마주한 순간 나는 뼈가 아프게 깨달았다. 이 남자는 나에게 아무런 관심도 없다는 사실을.

산은 산이요 물은 물이고 앞에 앉은 것은 그냥 여자 사람 모양을 한 덩어리다…… 라고 그의 눈빛이 말하고 있었다.

그런 남자에게 굳이 계획까지 변경해 가며 밥을 권한 것은 역시 조금은 미안한 탓일 것이다. 누가 시골 여자 아니랄까 봐 흙냄새 풀풀 풍기는 후줄근한 꼬라지로 나와 황금 같은 그의 주말 시간을 낭비하게 만든 것에 대한. 그의 할머니와 수십 년 친구라는 정애 할머니를 생각해서라도 그냥 보내는 것은 도무지 예의가 아니라는 것이 나의 소심한 결론이었다.

'그래, 차일 땐 차이더라도 내가 할 도리는 다하자.'

정애 할머니도 눈이 있으니 이 사람이 훈남 중에서도 보기 드문 훈남이라는 사실을 알아봤을 거다. 그러니 이 잘난 남자가 나를 마음에 들어 할 리가 없다는 사실 정도는 인지상정으로 받아들여 줘야 한다. 악조건 가운데에서도 내가 나름대로 최선을 다했다는 사실도. 절대로 윤미숙의 얍삽한 수작질 때문이 아니란 말이지.

"좀 허름하죠?"

누런 장판이 깔린 바닥에 긴 다리를 접고 반듯하게 앉는 남자의 눈치를 살피며 마치 죄지은 사람처럼 물었다. 우아한 곳에서 칼질만 하면서 살 것 같은 고급스러운 남자에게 웬 돼지갈비. 안 어울려도 너무 안 어울려서 식은땀과 함께 죄책감이 다 몰려왔다.

"보, 보기엔 이래도 이 집이 읍내에서 제일 맛있어요. 아, 혹시 돼지고기를 안 좋아하시는 건……."

"아닙니다."

'흡!'

아, 또다. 또 호흡곤란이 찾아오려고 한다.

죄책감을 느끼는 것도 잠시, 남자의 무거운 입이 열리고 그 촉촉한 입술 사이에서 낮고 부드럽지만 강직한 힘을 가진 목소리가 새어 나오자 버릇없는 심장이 또다시 벌컥거렸다.

저만큼이나 잘난 외모를 가졌으면 목소리라도 좀 깨는 면이 있어야 나름 인간미가 느껴질 텐데 무슨 조화인지 그는 목소리마저도 완벽했다. 너무 두루두루 완벽하게 갖춘 사람이라 순간 인간이 아닐지도 모른다는 무서운 생각마저 들었다.

'아니야. 그동안 내 안구가 너무 저렴한 것만 보아 온 것뿐일 거야. 배우들도 많이 산다니까, 역시 서울엔 저 사람처럼 잘생긴 사람이 흔한 거겠지.'

우리 동네에선 가장 어린 영농 총각조차 40대인 것을 떠올리며 나는 그렇게 스스로를 위로했다. 아, 양재호 그 작자는 전원주택에 사는 하이에나 과의 짐승이니까 열외다. 어쨌거나 모처럼 눈 호강 한번 잘하는 날이었다. 비록 사하라 사막과 아마존의 중간쯤에 혼자 서서 모래바람과 비바람을 동시에 맞고 있는 듯한 기분이긴 했지만 이런 불편한 시간을 겪는 것도 오늘 하루뿐이라는 생각을 하면 얼마든지 견딜 수 있을 것 같았다.

그에 조금은 기쁜 마음으로 호기롭게 돼지갈비 3인분을 주문했다. 아무리 노력해도 털어지지 않는 긴장으로 인해 목소리가 덜덜 떨리긴 했지만, 뭐 아무렴 어떠랴. 어차피 그의 눈엔 처음부터 어딘가 나사 하나쯤 빠진, 한참 덜떨어진 여자로 보이고 있을 텐데. 혹은 살짝 미쳤거나.

"고기 나왔습니다."

점심때가 살짝 지난 시간 덕분에 고기는 주문하자마자 바로 나왔다. 또 말없이 앉아 서로 얼굴만 바라보고 있을 일이 내심 두려웠던 나는 아예 벌떡 일어나서 돌돌 말린 고기 몇 덩이를 반갑게 맞이했다. 아무 말 않고 바라보기만 하는 것보다 차라리 입에 뭐라도 넣는 것이 나을 것도 같았다. 그러면 무섭도록 똑바로 다가오는 그의 시선을 조금쯤은 피할 수 있을 테니까.

안 그래도 눈이 마주칠 때마다 아무 이유 없이 민망하고 부끄러워져서 속으로 얼마나 안절부절못했는지 모른다. 뭐라고 말이라도 좀 했으면 좋겠는데 그는 너무나도 과묵해서 다방에 앉아 있었던 그 시간 동안 고작 두 마디만 했을 뿐이었다. 맨 처음의 '윤미숙 씨?' 그리고 '고은후입니다.' 그리고 그는 마담 할머니가 내어 주는 뜨끈뜨끈한 다방 커피를 군소리 없이 마셨다.

'그런 거 보면 성격이 나쁜 사람은 아닌 것 같은데.'

너무 잘나서 혹시 성격이 아주 더럽다거나 남모르는 변태적인 취향 같은 것이 있어서 그 나이까지 결혼을 못하고 있는 게 아닐까…… 하는 생각을 잠시 해 보았지만 그 생각도 그리 오래가지는 못했다. 그의 태도는 너무나 점잖고 예의가 발라 마치 그 옛날의 선비를 보는 듯했기 때문이다.

'그럼 대체 뭐가 문제란 말이오? 뭐가 문제였기에 이 지경으로까지 내몰리신 게요? 설마 진짜로 고자인 것은…… 어머 어머, 내가 지금 무슨 생각을 하고 있는 거니?'

치이익.

고기를 구우면서 나는 또 남몰래 그를 흘깃거렸다.

그는 상 위에 하나하나 차려지는 반찬들을 무덤덤한 시선으로 바라보고 있었다. 그 담백한 모습을 보자 한여름에도 뜨거운 다방 커피를 군소리 없이 마셔 줄 만큼 양호한 성격이니 별 볼 것 없는 시골 상차림도 용납해 줄 수 있지 않을까 하는 작은 기대가 뭉클뭉클 피어올랐다. 물론 고자도 아니었으면 좋겠다. 저 얼굴, 저 몸매에 고자면 도대체 얼마나 아까울 거냐 말이다. 인류의 미래를 위해서라도 절대로 아니 될 일이었다.

'기분이 나쁜 건가, 좋은 건가?'

아무리 살펴도 눈썹 하나 까딱하지 않는 모습에 고개가 잠시 이리저리 방황을 했다.

표정이라도 풍부한 사람이었다면 얼굴을 보고 속내를 대강 짐작해 볼 수 있을 테지만 그는 그런 면에서도 굉장히 인색해 내내 별다른 표정을 보여 주지 않았다. 아니, 표정의 변화가 거의 없다시피 해서 마치 잘 만들어진 인간형 로봇처럼 느껴지기도 했다. 혹은 외계인이거나.

'혹시 머릿속으로 지구 멸망의 날짜를 계산하고 있는 거 아냐? 겉모습은 인간이지만 머릿속엔 캐로로 소대원 한 마리가 들어앉아 있다거나. 아, 진짜 어려운 사람이네, 어려워.'

분위기도 분위기지만 역시 아무리 보고 또 봐도 도통 무슨 생각을 하고 있는지 알 수 없다는 점이 나를 더 불편하게 만들고 있었다. 숨이 막힌다. 혹시 벌을 주고 있는 거라면 그는 정말 제대로 된 방법을 선택한 셈이었다. 물론, 진짜로 그런 마음일 리는 없겠지만 말이다.

"다 익었어요. 어서 드세요."

그의 앞 접시에 잘 익은 고기 몇 점을 놓아주며 나는 아무 의미 없이 또 생긋 웃었다. 나는 생긋 웃었다고 생각하지만 그의 눈엔 조금 실없이 보인다고 해도 하는 수 없었다. 이 마당에 올 수는 없지 않은가. 다행히 그는 그런 나를 비웃지 않았다. 그저 나의 권유대로 고기를 몇 점 집어 입에 넣었을 뿐이다. 그리고 나는 살짝 감동했다. 그 사소한 동작조차도 얼마나 단정하고 우아한지 내가 가위로 썩썩 잘라 놓은 것이 돼지갈비가 아니라 무슨 스테이크쯤 되어 보이는 것 같아서.

어쩜 무슨 남자가 손끝까지도 저렇게 근사할까. 콱 깨물어 주고 싶구랴. 아쉬움에 입맛이 다셔졌다. 저 근사한 손으로 고기 대신 나를 집어 먹어 주었으면 하는 작은 소망이……. 아, 저 점잖은 남자를 앞에 두고 이 무슨 음란한 상상이란 말인가. 미숙아, 우리 이러지 말자. 촌것이라고 불릴지언정 짐승이라고 불리지는 말아야 할 것 아니냐. 아무리 맛있게 보여도 제발 씹어 먹을 것처럼 바라보지는 말아 다오.

"마, 맛있죠?"

"……."

"여기 야채랑 같이 드세요. 그래야 더 맛있거든요."

아, 이놈의 발 빠른 적응력.

고기를 입에 넣고 있자니 어쩐지 덜 떨리는 듯해 방금 전부터 그가 뭐라 구분할 수 없는 미묘한 시선으로 바라보고 있다는 사실도 무시하고 나는 넉살도 좋게 이것저것 권하기 시작했다.

어차피 그림의 떡이요 물 건너간 남자였다.

나와는 전혀 다른 세계에서 사는 사람에다가 어떻게든 연결될 가능성이 거의 없기도 했다. 설령 그가 나를 마음에 들어 한다고 해도 먼저 사양해야 할 처지임을 잊지 않고 있었다.

물론 아쉽지 않은 것은 아니었다.

나도 이를테면 꿈 많은 여자인데 그처럼 잘생긴 사람과 연애 한번 해 보고 싶은 마음이 왜 없겠는가. 그는 이 시골은 물론이고 TV에서도 흔히 볼 수 없을 만큼 완벽한 훈남인데 말이다. 키 크고, 잘생기고, 돈도 잘 벌고, 에, 또 짐승 같은 두툼한 목덜미와 아랫도리까지 움찔하게 만드는 미끈한 뒤태라든지 하는…… 크허험. 아무튼지 간에 바로 그래서 안 되는 거다. 그가 너무 과해서, 그리고 내가 너무 모자라서 사양하는 거다. 그런 점에서 보면 그가 나를 마음에 들어 할 리가 없다는 사실이 얼마나 고마운지 모르겠다.

'저 얼굴로 나 좋다고 방긋방긋 웃었으면 어쩔 뻔했어. 형편도 생각 안 하고 그냥 콱 넘어갈지도 모르잖아?'

무표정한 얼굴만 봐도 숨이 막히는데 정말 웃기라도 했으면 어쩔 뻔했나. 모르긴 해도 앞뒤 분간 못하고 넙죽 엎어져 그냥 그가 하자는 대로 고개만 끄덕였을 테지. 고기도 먹어 본 사람이 먹는다고 남자도 겪어 봤어야 '아, 이럴 땐 튕겨 줘야지.'라는 생각도 할 수 있는 거 아닌가. 그만큼 '연애' 라거나 '남자'에 대해 나의 뇌세포는 면역력이 없었다. 그 와중에도 양재호가 남자로 안 보이는 건 참 다행스러운 일이고.

"아, 이것도 드셔 보세요. 여기 텃밭에서 키우고 있는 부추예요. 금방 뜯어 온 거라 그런지 향이 참 좋네요."

언제 긴장했었냐는 듯 나는 이제 편하게 주저앉아 주절주절 떠들어 대기 시작했다. 음료수까지 시켜 놓고 자작을 해가며 허리를 펴고 반듯하게 앉은 남자에게 이것저것 권하기도 하고 한창 수확기에 들어간 과일 이야기도 꺼냈다. 조금 흥미로운 이야기였는지 때때로 그의 입가에 가는 주름 같은 것이 스쳐 간 것도 같았다.

그쯤 되자 나는 갑자기 간이 커져서 공깃밥을 시켜 고기와 함께 불판에 볶아 먹는 만행을 저지르기에 이르렀다. 맞선 자리에서 웬만한 여자들이라면 절대 하지 않을 법한 행동을 서슴없이 해치운 것이다.

"이게 원래 이렇게 먹는 거거든요. 헤헤."

너무 게걸스럽게 먹었나 싶어 뒤늦게 변명처럼 중얼거렸다. 그러면서도 그의 시선을 슬며시 피해 불판에 달라붙은 마지막 밥풀까지 닥닥 긁어먹었다. 그래, 나는 평소에도 이렇게 먹고살았다. 이렇게 먹지 않으면 하루 종일 먹다 만 것 같은 느낌에 시달리기도 한다. 이래서 습관이 무섭다고들 하는 거다.

그런 내 모습을 그가 종종 수저질까지 멈춘 채 가만히 바라보는 것이 느껴졌지만 초인적인 인내력으로 애써 무시했다. 아무리 그래도 밥을 남길 수는 없었다. 이 맛있는 걸 남 겼다가는 밤에 잠이 안 올지도 모르니까. 그리고 많이 남기 면 간혹 여기 주인아저씨한테 등짝을 맞을 때도 있었다. 쌀 부터 부추 하나까지 직접 농사지어 내놓은 거라 그 양반은 아주 단순하게도 많이 먹으면 좋아하고 남기는 건 원수처럼 싫어하기 때문이다.

"아, 안 돼요. 이건 제가 사 드리는 거예요."

계산을 하기 위해 지갑을 꺼내 드는 그를 온몸으로 막아섰 다.

식당을 고른 것도 나고 주문을 한 것도 나이며, 먹기도 내 가 더 많이 먹었으니 당연히 내가 계산을 해야 맞는 일이었 다. 이런 생각도 할 줄 아는 것을 보니 나의 양심은 아직 똥 보다 쓸 만한 상태인가 보다.

"제가 추천한 곳이니까 제가 계산해야죠. 더구나 멀리서 오셨는데 밥까지 얻어먹으면 제가 너무 죄송해요."

"……."

"이 동네 인심이 원래 그렇거든요. 먼 곳에서 오신 손님한 테는 절대로 계산을 떠넘기지 않는다고요. 그러니까 이건 제 가 할게요."

손까지 모으고 구구절절하게 애원할 때 남자는 이미 하얀 색 지폐 한 장을 예의 주인아저씨에게 내밀고 있었다. 푸른 색도 아니고 누런색도 아닌 하얀색이다. 아니, 고작 돼지갈비 3인분 먹어 놓고 웬 수표란 말인가. 이 경우엔 거스름돈 만들기가 더 귀찮다.

그 생각까지 마치고 재빨리 지갑을 꺼내 들 때였다.

'수표 한 장쯤이야.' 하며 무심코 돈을 받아 든 식당 주인 아저씨의 안색이 갑자기 하얗게 변했다.

"배, 배, 백? 거, 거스름돈이 없는데……."

"예?"

덩달아 놀란 내가 황급히 아저씨의 손에서 수표를 잡아챘다.

"일금 백……만 원."

세상에나, 정말이다. 이 남자, 고작 2만 원어치 먹어 놓고 자그마치 백만 원짜리 수표를 내밀었다. 어처구니가 없어져서 차마 웃지도 못하고 손에 들린 만 원짜리 지폐 두 장을 황급히 아저씨 손에 쥐어 준 다음 나는 수표와 함께 남자의 손을 잡고 도망치듯 식당에서 뛰쳐나왔다. 너무 당황해서 보기만 해도 무서운 남자의 손을 잡아 버렸다는 사실도 미처 깨닫지 못한 채였다.

"아, 큰일 날 뻔했다."

후덥지근한 밖으로 나오고서야 나는 비로소 안도의 한숨을 내쉴 수 있었다. 무시무시하기까지 한 눈앞의 남자 때문에 차마 화는 못 내고 얼굴색만 붉으락푸르락하던 식당 주인 아저씨의 모습이 아직도 눈앞에서 어른거리고 있었다. 그분도 보통은 넘는 양반이라 다른 사람이 그랬다면 벌써 고함을 내지르고도 남았을 성격인데 이 남자 앞에서는 어쩐지 고함도 제대로 나오지 않았던 모양이다.

'하긴 훈계를 하기엔 상대가 너무 만만치 않게 생기긴 했지.'

반쯤 넋이 나간 채로 수표를 들여다보며 나는 한숨처럼 고개를 끄덕였다. 양재호도 안 할 유치한 짓을 이 남자는 어쩌면 그렇게 자연스럽게 할 수 있었는지 원. 하지만 누구 때와 달리 이상하게도 화가 나지 않는다.

반듯한 차림이나 과묵한 성격 때문인지 아니면 진지했던 얼굴 때문인지 정말로 지갑 속에 다른 지폐가 없어서 그랬을지도 모른다는 생각이 들었다. 정애 할머니도 그러지 않았던가. 돈을 잘 버는 사람이라고. 할머니의 말 때문이 아니더라도 나는 그의 행동이 고의가 아니라는 사실을 잘 알고 있었다. 명품에 대해 잘 모르는 나조차도 눈이 부실 만큼 그의 전신은 고급스러운 소재들로 도배되어 있었으니까. 모르긴 해도 지금 그가 매고 있는 넥타이의 끄트머리만 조금 잘라 줘도 고기값은 충분히 대고도 남을 것이었다.

거기까지 생각하는데 돌연 벼락을 맞은 것처럼 몸이 부르르 떨렸다. 이것이 무엇이냐. 크고 단단하고 그러면서도 부드러운…… 그제야 꼭 움켜쥐고 있는 뜨끈한 손의 존재가 피부를 타고 심장판막에까지 생생하게 전해지기 시작했다. 동시에 손끝이 부들부들 떨렸다. 어허, 손이 참 곱기도 하시오. 여자인 내 손보다 더 말끔한 것 같은데 핸드크림은 어느 회사 제품을 쓰시는지……. 잠깐 나 눈물 좀 닦겠소.

꿀꺽.

갑자기 후끈한 열기가 얼굴로 확 밀고 올라왔다.

덜덜 떨리는 시선이 주춤거리며 아래로 향했다 곁에 선 그의 얼굴로 향했다 다시 원래 자리로 돌아왔다. 손가락에서 스르르 힘이 빠져나갔다.

"저, 저기 이거……."

시뻘게진 얼굴을 푹 숙이며 나는 마치 임금님께 진상하듯 두 손으로 공손히 그에게 수표를 바쳤다. 하도 당황해서 서두르다 보니 수표도, 그의 손도 하마터면 주머니 속에다 구겨 넣을 뻔했다. 그러지 않은 게 천만다행이었다.

"어, 얼른 넣으세요. 누가 볼까 봐 겁나요."

"……."

"큰돈이잖아요. 이런 건 함부로 꺼내는 게 아니라고요."

특히, 윤미숙처럼 한 푼이 아쉬운 사람 앞에서는 더더욱 안 된다. 탐도 나고 부러워 죽을 것 같단 말이다. 간신히 잊고 있던 남동생의 등록금 생각이 저절로 떠오를 만큼. 조금 기운이 빠진 몰골로 아무 말 없이 서 있는 남자의 손에 수표를 쥐어 주었다. 그러곤 고개를 들고 아무렇지 않은 듯 빙긋 웃어 보였다. 무슨 생각을 하는지 짧은 순간 남자의 시선이 더 깊어지더니 그림 같은 한쪽 눈썹이 하늘로 슥 올라가는 것이 보였다.

"차도 마셨고 밥도 먹었으니까 저는 이제 그만 가 볼게
요."

"……."

"피곤하실 텐데 조심해서 올라가세요. 할머님께도 안부 전
해 주시고요, 만나 뵈어서 반가웠습니다. 그럼……."

예의까지 차려 가며 넙죽 허리를 꺾었다.

성은이 망극하옵니다. 같이 밥을 먹어 주어서 참으로 고마
웠소이다. 대통령과 밥을 먹어 본 적은 없으나 그에 버금가
는 오찬이었다고 감히 단언하는 바입니다. 무엇보다 긴장감
면에서는 단연 최고였소이다.

이렇게까지 했으니 정애 할머니도 다른 소리는 못할 것이
다. 적어도 '잘난 맛에 내질렀다가 차였다.'는 소리는 할 수
없을 테지. 그 점이 가장 마음에 들었다. 그리고 윤미숙도 괜
찮다. 이 잘생긴 남자와 연애하는 꿈조차 꾸지 못하는 스스
로가 조금 불쌍하긴 하지만 그것도 괜찮다. 어차피 취향도
아닌걸. 고개를 든 나는 무심하면서도 역시나 무섭도록 잘생
긴 그의 얼굴을 마지막으로 한 번 더 보아 준 다음 미련 없이
돌아섰다.

Thank you and good night!

사건사고는 이렇게 마무리되었고 나는 햇살을 받으며 저
먼 지평선 너머로 떠나…… 버리고만 싶었다. 젠장, 쪽팔려

죽겠다. 등을 찌르는 그 남자의 시선을 받으며 걸어가야 하는 게 너무 쪽팔려서 눈물은 물론이고 코피까지 터질 것만 같았다.

차마 뒤돌아볼 생각도 못하고 땅바닥만 노려보면서 나는 터벅터벅 걸었다.

걷다 보니 급한 김에 대강 끼어 신고 나온 신발이 보였다. 운동화다. 망할 운동화가 오늘따라 더 꼬질꼬질하게 보여서 문득 신경질이 났다. 신발은 안 빨았는데 다른 신발 다 놔두고 왜 하필이면 밭에나 신고 다니는 운동화를 끌고 나온 것일까. 해일 같은 후회와 민망함이 뒤늦게 뒤통수를 후려쳤다. 이 낡고 지저분한 신발을 그 사람도 봤을까?

"봐, 봤겠지?"

눈매도 멋있고 시력도 좋아 보였으니 확실히 보긴 봤을 거였다.

문득 궁금해진다. 이걸 보고 그 사람은 무슨 생각을 했을까? 촌스럽고 조금 덜떨어진데다 지저분하기까지 한 여자? 아니면 말 많고 많이 먹는 지저분한 여자? 어느 쪽, 어느 방향으로 생각해도 비참해지는 건 변함이 없다.

"쪽팔리게."

왜 부끄러움은 헤어지고 나서야 본격적으로 찾아오는가. 어째서 되새기면 되새길수록 쪽팔림의 강도가 더 커지는 것인가.

얼굴 마주하고 앉아 있을 때부터 창피함을 알았다면 나도 그렇게 열심히 추태를 부리지 않았을 텐데. 특히 꼬질꼬질 더럽고 허름한 신발이 말도 못하게 창피해서 나는 속으로 울었다. 그런 나를 질책하듯 불어오는 후덥지근한 바람이 사납게 얼굴을 때리고 있었다.

2.
폭우

어머니가 말씀하셨다. 산다는 건 늘 뒤통수를 맞는 거라고.

—그들이 사는 세상(2008) 中—

"정말 이럴 수 있습니까?"

잔뜩 성이 난 카랑카랑한 목소리가 앞통수를 후려쳤다.

어처구니없지만 또 양재호다. 부른 사람도 없고 딱히 볼일
이 있는 것 같지도 않은데 그는 그 시뻘건 차와 함께 잘도 나
타나 나를 향해 또 고함을 내지르고 있었다.

"미숙 씨가 나한테 어떻게 이럴 수 있어요?"

"글쎄요, 제가 뭘 어쨌다고 이러세요?"

"하, 기가 막혀서. 몰라서 묻습니까? 선봤다면서요?"

"그랬어요. 그게 왜요?"

피곤에 지친 표정으로 그를 멀뚱히 바라보면서 물었다. 그러자 더 기가 막히다 못해 아예 뒷골이 당긴다는 표정을 노골적으로 드러내며 그가 소리쳤다.

"몰라서 묻습니까? 지난번에 내가 분명히 진지하게 사귀자고 했잖아요? 그랬습니까, 안 그랬습니까?"

"그랬죠. 그리고 전 분명히 싫다고 했고요."

"그 얘긴 그만하죠. 어차피 진심이 아니라는 거 아니까. 비싸게 굴고 싶은 마음은 아는데 그래도 이건 아니죠. 간을 보는 것도 아니고 선까지 보면서 왜 사람 속을 찔러 봐요?"

"……."

"사귀자고 하니까 갑자기 내가 우습게 보이기라도 합니까? 바라는 게 있으면 차라리 말을 하란 말입니다. 어차피 선을 본 것도 내 마음이 진심인지 아닌지 확인받고 싶어서 그런 거 아닙니까?"

아부지, 맙소사다.

대체 뭘 어떻게 하면 그런 이상한 결론에 이를 수가 있는 것일까. 하도 어이가 없어서 화를 내야 할지 말아야 할지 구분도 안 가려고 한다. 왜 사냐건 그냥 웃지요. 대답 대신 나는 그냥 허탈하게 웃었다. 그러다 문득 표정을 굳히고 나직하게 말했다.

"양재호 씨, 내가 만만하게 보여요?"

"······?"

"만만하게 보여서 심심할 때마다 한 번씩 찾아와 찌르고 가는 것 같은데, 나 댁이랑 놀아 줄 만큼 그렇게 한가한 사람 아니에요. 내가 분명히 말했죠? 때려죽여도 댁이랑은 연애 안 한다고."

"아니, 무슨 말을 그렇게······."

"나 집안일에 밭일에 금고 일까지 해야 돼요. 하루 스물네 시간이 모자라고 매 순간순간이 피곤해서 연애할 기운도 없다고요. 아니, 시간이 있고 기운이 있어도 당신이랑은 안 놀아요. 왜 그런지 알아요?"

"왜, 왜 그런 겁니까?"

정말로 궁금했는지 그가 민망함도 잊고 냉큼 되물었다.

생긴 것답지 않게 이런 방향으로는 의외로 순순하게 구는 인간이다. 그 모습이 조금 우스우면서도 어이가 없어 나는 또 허허 웃었다. 그리고 말했다.

"양재호 씨는 다른 사람을 위해서 손에 흙 묻혀 가며 일해 본 적 있어요? 가족은 아니지만 아픈 사람을 걱정하느라 잠을 못 잔 적은요? 실수를 하고 진심으로 미안하다고 사과한 적은 있어요? 우리 동네 버스 기사가 양재호 씨를 싫어하는 이유는 알아요?"

"버스 기사가 나 싫어합니까?"

저 싫어한다는 소리는 찰떡같이 알아듣고 그가 눈을 부릅

떴다.

그러더니 고개를 갸웃거리며 혼잣말처럼 '아직 나 싫다는 사람 못 봤는데.' 하고 중얼거렸다. 하긴, 못 봤을 거다. 돈을 물 쓰듯 막 써 주는 물주 앞에서 어떤 멍청한 작자가 감히 '나 너 재수 없다.'는 소리를 할 수 있을까. 그냥 표 안 나게 뒤에서만 손가락질을 해 줄 뿐이겠지.

말을 섞고 나니 공연히 기운만 더 빠지는 것 같아 나도 모르게 긴 한숨을 토해 냈다. 내가 왜 이 더운 날 이런 이상한 남자랑 길 한복판에 서서 대화를 하고 있는 거지?

"크흠, 그게 답니까?"

"아니요. 더 많은데 말하기가 귀찮아요. 아무튼지 간에 난 이제껏 양재호 씨처럼 이기적인 사람을 본 적이 없어요. 그래서 내가 너 좋아하면 너도 당연히 나 좋아해야 한다는 생각을 어떻게 감히 할 수 있는지도 모르겠어요."

"……."

"나요, 정말로 양재호 씨한테 관심 없어요. 제발 부탁이니까 다시는 이렇게 찾아오지 말아 주세요. 우리 아버지가 걱정하시거든요."

상처받은 기색이 역력한 얼굴을 보고서도 나는 눈썹 하나 까딱하지 않았다. 이렇게 해서 귀찮은 일을 덜 수 있다면 까짓 얼마든지 더할 수도 있었다. 미안한 마음 따윈 아예 들지도 않는다. 어차피 내가 아니라도 그를 위로해 줄 사람은 얼마든지 있을 테니까. 그리고 내 입장에서는 김치 공장 사장 아들이 이번엔 과수원집 딸을 찍었네 마네 하는 소문을 듣는 것보다 차라리 그의 가슴에 대못 한 번 박는 편이 백배는 더 양호한 일이었다. 그러면 안 그래도 피곤한 인생이 더 피곤해지는 일만은 없을 게 아닌가.

"그만 가 보세요."

싸늘한 한마디와 함께 진심으로 멍청하게 서 있는 그를 슥 봐 준 다음 그냥 돌아섰다. 등 뒤에서 미동도 않고 서 있는 그를 느끼면서 뚜벅뚜벅 걸어갔다. 그러다 예의 시뻘건 외제 차를 발견하고 아주 잠깐 멈추어 서서는 마치 비웃듯 툭 말했다.

"흙먼지 날리는 시골길에 웬 뚜껑 없는 스포츠카. 그 나이를 먹고도 그러고 다니는 거 엄청 한심해 보이는 거 알아요?"

제발 철 좀 들어라, 인간아.

탁탁한 집안의 3대독자로 태어나 이제껏 고생이라곤 모르고 살아왔다지만 해도 해도 너무하지 않나. 서울로 원정까지 다니며 논다거나, 시시때때로 여자가 바뀐다거나, 비싼 외제 차를 끌고 다니는 건 뭐 취향이라고 하니 그렇다고 치자. 취향이면 취향이지 허우대 멀쩡한 남자가 왜 남들 일할 시간에 팽팽 놀고 놀다가 심심하면 찾아와 나를 걸고 넘어져 귀찮게 하느냐 말이다.

"누굴 동네북으로 아나. 왜 심심하면 찾아와서 두드려 대니, 두드려 대길. 하여간에 이래저래 이상한 사람이라니까."

완벽하게 지친 몰골로 나는 낮게 투덜거렸다.

밭일을 하고 온 것도 아닌데 이상하리만치 피곤해서 죽을 것만 같았다. 등 근육까지 뻐근해서 일이고 뭐고 다 밀어 두고 그냥 눕고 싶은 생각만 간절했다. 물론, 이건 양재호 때문이 아니다. 문제의 맞선, 솜털 끝까지 긴장한 채 보낸 그 세 시간이 만들어 낸 결과였다.

오늘따라 유난히 무거워서 질질 끌리는 발걸음마다 아까 헤어지고 온 남자의 얼굴이 맴돌았다. 양재호가 아니라 그 선본 남자. 고은후라고 했었다, 그 훈남의 이름이. 깔끔하게 빗어 넘긴 머리칼, 칼처럼 뻗어 올라간 눈썹, 한밤의 바다 같은 깊은 눈동자, 그리고 굳게 다물린 입술 하나까지도 너무 반듯하고 훈훈해서 쉽게 잊혀지지 않을 것 같다. 다시 볼일이 없다는 게 진심으로 안타까울 지경이었다.

"참 잘나긴 했지라."

새삼스러운 감회에 사로잡혀 또다시 긴 한숨을 내쉬었다.

그 잘생긴 남자가 고급 양복을 입고 누런 장판 위에 반듯하게 앉아서 내가 불판에 볶아 준 밥을 먹었다. 내가 가위로 썩썩 잘라 준 싸구려 돼지갈비도 먹었다.

갑자기 고개가 푹 꺾였다.

"윤미숙이, 미쳤었구먼."

확실히 제정신이 아니었다.

무슨 짓을 하고 있는지 자각도 못할 만큼 넋이 나가 있었던 게 틀림없다. 그러니 환심을 좀 사 보자고 없는 돈에 고기까지 사 먹인 게 아닌가. 그런 주제에 이제 와서 쪽팔려 하는 건 또 뭐지? 되돌아볼수록 스스로의 행동이 너무 촌스럽게 느껴져서 나는 거의 미칠 지경이었다.

어차피 촌것이니 촌스러운 것이야 당연한 건데 그 사람이 너무 잘나서 훨씬 더 촌스럽게 보였을까 봐 짜증 난다. 어쩌면 그 때문이었는지도 모르겠다. 오늘 또 나타난 양재호에게 보통 때보다 더 짜증을 부린 것은 주제도 잊고 그 남자에게 강아지처럼 살살거린 스스로가 너무 민망한 탓인게다.

"잊자. 무조건 잊는 거야. 윤미숙은 오늘 선을 안 봤다. 절대로 안 본 거다. 레드 썬!"

벌겋게 달아오른 두 뺨을 꽉 움켜쥐고 실성한 듯이 중얼거렸다. 훈남을 한 번 본 것으로 나의 운은 다했다. 그러니 이제 필사적으로 잊어야 한다. 얼른 잊고 안구 수준을 도로 영농 총각들에게 맞춰 놓고 또 살아가야지. 기억을 털어 버리듯 머리를 홰홰 털어 내고 다시 느릿하게 걸음을 옮겼다.

"그나저나 미준이 등록금은 어떻게 마련한다?"

노력의 일환으로 나는 다시 해묵은 고민을 꺼내 잡았다.

그 문제는 언제나 단박에 효과를 발휘해서 바라던 대로, 아니 그 이상으로 나는 금방 고뇌 어린 심정이 되고 말았다. 그래, 한 푼이 아쉬운 여자에게 스쳐 가는 훈남 따위가 무슨 소용이랴. 그러니 생각은 이제 그만. 개꿈 한번 화려하게 꿨다고 생각하자. 부끄러움 한 조각까지도 다 털어 내자, 미숙아.

"20만 원 출금되었습니다. 감사합니다, 안녕히 가세요."

창구 너머로 얄팍한 지폐 뭉치를 넘기며 나는 습관적으로 미소 지었다. 이 일을 오래하긴 했는지 이젠 문을 열고 들어서는 사람만 봐도 무조건 입꼬리가 올라간다. 뿐만 아니라 '어서 오세요, 감사합니다.' 따위의 말들은 아예 입에 붙어 버려서 아무 때나 막 나올 때도 있었다. 가끔은 자는 동안에도.

"아, 오늘 정말 한가하네."

손님이 객장을 나서기가 무섭게 자연이 길게 기지개를 켰다.

"거리도 지나치게 한산하고. 뭔 날인가?"

"날은 무슨…… 아침부터 푹푹 쪘으니까 다들 집 밖으로 나오기가 겁나는 거겠지."

"하긴, 오늘 정말 덥긴 해."

체념한 듯 그녀가 덤덤히 고개를 끄덕였다.

아닌 게 아니라 오늘은 아침부터 푹푹 찌기 시작해서 마감 시간이 다 된 지금까지도 햇볕이 쨍쨍했다. 보기만 해도 거리가 온통 지글지글 녹아내리는 것만 같다. 뉴스에서도 한낮의 온도가 30도니 32도니 하면서 외부에서 일하는 경우 일사병 등에 대해 주의를 당부했었다. 그래서 나도 아버지에게 오늘은 밭에 나가지 말라고 신신당부를 하고 나왔다.

"근데 언니야······."

"왜?"

"그 사람한테 연락은 없어?"

"그 사람 누구?"

"시치미 떼기는. 지지난 주에 선본 남자 말이야. 한 번쯤 연락 올 때도 됐잖아."

글쎄, 때는 되었을지언정 연락이 올 일은 없지 않을까?

나는 자연을 향해 지극히 회의적인 시선과 함께 썩은 미소를 날려 주었다. 그러곤 그날 밤 잠자리에 누워서야 간신히 깨달은 사실 하나를 수줍게 털어놓았다.

"전화번호를 안 가르쳐 줬다."

"뭐어? 왜? 엄청난 훈남이라고 했잖아?"

"그랬지. 훈남이셨지. 너무 훈남이라서 나 겁먹었잖아. 그러니 이 경우엔 연락을 안 해 주시는 게 진정으로 나를 위하는 길이야. 어차피 연락처 같은 걸 묻지도 않았고."

그는 묻지 않았고 나는 대답하지 않았을 뿐이고.

"에이, 뭐가 그러냐? 혹시 훈남이라는 거 순 거짓말 아냐? 그래서 차고 싶어서 전화번호도 안 가르쳐 준 거지?"

"아니야. 훈남 맞습니다, 맞고요. 슬프지만 내가 차였다네."

그날의 참담했던 기억을 되새김질하며 나는 좌절스럽게 고개를 꺾었다. 가능하면 말끔하게 잊고 싶었지만 어찌나 기억이 선명한지 열흘이 지난 오늘까지도 나는 깊은 패배감에서 벗어나지 못하고 있었다. 그 몰골로, 그 주접을 떨었으니 그에게서 연락이 없는 건 당연하다.

심지어 정애 할머니조차 바로 그다음 날부터 '다른 사람으로 다시 알아볼까?' 하며 넌지시 퇴짜를 예고해 줬었다. 다행이었다. 다행은 다행인데 동시에 왜 그렇게 실망스럽던지 하루 종일 오락가락하는 기분을 스스로도 종잡을 수 없었더랬다. 설마 벌써 갱년기가 찾아오는 건 아니겠지?

"차여서 정말 다행이야."

뜻 모를 소리에 자연의 얼굴이 더 괴상하게 일그러졌다.

"왜 다행인데?"

"그 잘생긴 남자랑 연애질을 한다는 생각만 해도 심장마비가 일어날 것 같으니까. 역시 난 평범한 남자가 좋아. 건강을 위해서라도 그게 좋다고."

"어련하시겠어요. 하지만 그래 가지고서야 언제 연애 한번 제대로 해 볼 수 있겠어? 연애를 하려면 때로는 좀 용감하게 들이대기도 해야……."

"어? 어서 오세요."

자연이 일장연설을 시작하려는 순간 오늘따라 한가하던 객장의 문이 예고도 없이 벌컥 열렸다.

그사이로 한낮의 열기를 잔뜩 뒤집어쓴 것처럼 시뻘건 얼굴을 한 중년인이 들어섰다. 그에 나는 반사적으로 미소 지으며 또 '어서 오세요.' 소리부터 토해 놓았다. 그러면서 시간을 보니 딱 마감 시간이었다. 그래서 처음엔 시간에 쫓겨 아슬아슬하게 도착한 손님인 줄만 알았다. 얼마나 급했으면 이 더위에 뛰어왔을까 하고. 그러나 내가 자리에서 일어나기도 전에 예의 통통을 넘어 풍만한 몸매의 남자는 이미 불 맞은 멧돼지처럼 씩씩거리며 우리들에게 달려들고 있었다. 객장이 떠나가라 미친 듯이 소리치면서.

"윤미숙이가 누구야?"

"예에?"

"윤미숙이라는 계집애가 누구냐니까! 오라, 너냐?"

흥분한 와중에도 가슴팍에 매달린 명찰을 발견한 그가 내 자리로 바짝 다가섰다. 창구 너머로 거구의 몸을 쑥 들이민 채 쪽 찢어진 눈으로 죽일 듯이 노려보았다. 그 기세가 얼마나 흉흉한지 여차하면 한 대 칠 것만 같아 나도 모르게 날렵한 백스텝으로 문 워킹을 시도할 뻔했다.

대체 누구지, 이 아저씨는?

"저어, 고객님?"

당황한 나는 한 걸음 물러선 자리에서 눈을 크게 뜨고 그를 바라보았다. 그리고 그가 보기보다 더 나이가 들었으며 이유는 아직 모르겠으나 나를 정말로 한 대 쳐 주고 싶어 하는 중이라는 사실을 깨달았다. 모르고 싶어도 모를 수가 없었다. 뚫어지게 바라보는 그의 시선에서 살기가 뚝뚝 떨어지고 있었던 것이다. 가슴이 철렁 내려앉았다.

재빨리 기억을 더듬었다.

아무리 봐도 아는 사람은 아니고 자주 다니는 고객도 아닌 이 중년, 아니 노인은 대체 뭣 때문에 나를 증오하게 되었나. 이유는 간단하게 밝혀졌다. 상황을 눈치챈 청원경찰과 한가하게 졸고 있던 박 부장이 슬슬 일어나 다가오기 시작했을 때 그가 마침내 나도 아는 이름 하나를 꺼냈던 것이다.

"니가 감히 우리 재호더러 싫다고 했다며?"

"예?"

"아, 재호 몰라? 우리 재호 말이다, 양재호!"

양재호! 그 망할 인간.

그 이름이 나오기가 무섭게 갑자기 앞통수가 후끈거리기 시작했다. 갑작스러운 긴장으로 인해 입가가 바르르 떨렸다. 그제야 나는 상대의 정체를 눈치챘다. 양재호의 아버지, 저 김치 공장의 사장인 양만식. 양 사장이었다. 그 양 사장이 바짝 굳어 있는 나를 향해 굵은 침방울을 튀겨 가며 삿대질을 하고 있었다.

"니가 지금 반반한 얼굴 하나 믿고 유세를 떠나 본데, 그래 봤자 별 볼 일 없는 집구석 딸내미 주제밖에 안 되는 것이 어디서 감히 큰소리냐? 남자한테 망신을 줘? 어엉?"

"……."

"니가 뭐야? 니가 뭔데 내 아들을 그 꼴로 만들어? 너 때문에 우리 재호가 지금 무슨 짓을 하고 있는지나 알아? 그놈이 방문을 걸어 잠갔다. 벌써 열흘째 방에 처박혀서 말도 안 하고 밥도 안 먹는다고. 너, 걔가 어떤 애인 줄이나 알아? 너 따위 하고는 비교도 안 될 만큼 귀한 자식이야. 우리 집안 삼대독자라고."

"……."

"그런 놈이 다 죽어 간다. 고작 너 따위 때문에 애비 말도 안 들어 먹고 있단 말이다!"

귀청이 떨어져 나갈 듯한 고함 소리와 함께 사방으로 침이 튀었다.

덕분에 내 고개는 점점 더 뒤로 젖혀지고 객장은 갑자기 난입한 불친절한 긴장감과 더불어 더 고요하게 가라앉았다. 씩씩거리는 거친 숨소리가 나의 여린 감성을 사정없이 할퀴고 지나갔다. 그가 숨을 몰아쉬기 위해 잠시 말을 멈추자 고

요함의 크기가 불쑥 커졌다. 그때에서야 나는 간신히 침착함을 되찾을 수 있었다.

"……그래서요?"

길길이 날뛰면서 하는 소리를 잠자코 다 듣고 새긴 내가 마침내 담담하게 입을 열었다. 그러나 목소리는 담담했을지언정 속까지 조용한 것은 결코 아니었다.

코털을 뽑힌 암사자처럼 신경줄이 확 곤두섰다.

어차피 상황은 다 파악했다. 하나뿐인 자식이 시위 중이라니 그 안타까운 심정도 조금이나마 이해할 수 있다. 하지만 그렇다고 해서 지금 이 상황까지 납득이 가는 것은 결코 아니었다. 그래, 양재호가 양씨네 귀한 삼대독자인 것도 맞고 내가 별 볼 일 없는 집구석의 딸내미인 것도 맞다고 치자.

맞는 건 맞는 건데 아무리 그렇다고 해도 윤미숙이 양재호를 무조건 받아들여야 한다는 법이 어디 있나. 양재호가 임금이라도 된단 말인가? 아니, 별 볼 일 없는 집구석 딸은 누가 선택만 해 주면 무조건 감사하며 받아들여야 한다고 법으로 정해져 있기라도 해?

안 그래도 지나치게 잘난 남자랑 선을 보는 바람에 속이 쓰려 죽겠는데 이젠 관심도 없는 양씨네 부자까지 나서서 나를 달달 볶으려고 들다니. 잔잔하던 속이 확 뒤집히면서 속에서부터 뜨거운 것이 울컥 올라왔다. 눈가가 뜨겁게 달아오르는 것 같아 나는 이를 악물었다.

"그래서 제가 뭘 어떻게 하길 바라세요?"

"어, 어떻게 하기는? 당장 가서 우리 재호를 설득해 방 밖으로 꺼내 놔야지."

"그리고요?"

"그거야……. 아니, 근데 어린것이 어디서 눈 똑바로 뜨고 대꾸냐, 대꾸가?"

그새 할 말이 떨어졌는지 양 사장은 이제 나의 태도를 놓고 한바탕할 기세였다. 그에 그가 뭐라 더 말하기 전에 먼저 치고 나갔다.

"설득을 하라고 하셨죠? 그건 연애라도 하라는 말씀이신가요? 양재호 씨가 진지하게 연애하자고 하던데 그렇게 하라고요?"

"누, 누가 그러라고 하던? 일단은 애부터 살려 놓고 나서 이야기하자 그거지."

"걱정 마세요. 사람은 생각보다 생명력이 강해서 고작 며칠 굶는다고 안 죽으니까. 어차피 그 사람은 죽을 용기 같은 것도 없을 테지만, 정 걱정되시면 그냥 방문을 부수고 들어가시면 되는 거고요. 더할 말씀 있으세요?"

미소까지 지으며 친절하게 맞은 일 따윈 없었다는 듯 나는 찬바람이 쌩쌩 부는 것처럼 싸늘한 얼굴로 나직하게 일갈했다. 그 모습이 조금 냉정하긴 했는지 주위 사람들이 죄다 움직임을 멈추고 **빳빳**하게 얼어붙어 있는 것이 보였다. 그런 것을 무시하고 나는 입을 딱 벌리고 굳어 있는 양 사장을 향해 다시 말했다.

"아, 그리고 저 양재호 씨랑 연애 같은 거 할 생각 없으니까 그것도 안심하세요. 귀한 아드님이 별 볼 일 없는 집구석 딸이랑 만난다는 소문이라도 나면 좀 창피하실 테니까. 그렇죠?"

"……."

"영업시간 중이라 사적인 이야기는 더 못 드리겠습니다. 그럼 안녕히 가십시오, 고객님."

깍듯하게 고개까지 숙여 인사하고 나는 도로 자리에 앉아 버렸다. 그때까지도 양 사장은 붉으락푸르락하는 얼굴로 나만 매섭게 노려보고 있었다. 그러다 방법이 없었는지 슬그머니 돌아서더니 문을 나서기 직전 도로 홱 돌아보면서 소리쳤다.

"오냐, 잘난 낯짝 값을 하고 싶다는 게지? 어디, 니가 그 자리에서 쫓겨나고서도 큰소리를 치는지 두고 보자꾸나. 제 발로 찾아와 싹싹 빌게 만들어 줄 테니 그때 보자."

으드득 이 가는 소리가 내 귀에까지 생생하게 들려왔다.

그런 그의 모습을 나는 두 눈 똥그랗게 뜨고 끝까지 바라보아 주었다. 화가 머리끝까지 난 양 사장이 문짝을 부서뜨릴 듯 거칠게 밀치고 밖으로 사라질 때까지 두 주먹을 불끈

쥐고 앉아 숨도 쉬지 않았다.

"어, 언니 어떻게 하려고 그래?"

"괜찮으세요?"

"미스 윤, 대체 무슨 일이야?"

한바탕 폭풍이 지나가고 나자 방금 전까지 가만히 지켜만 보던 사람들이 일제히 다가와 한마디씩 물었다. 대답 대신 나는 참고 있던 숨을 길게 내쉰 다음 아무 일 없었다는 듯 다시 몇 장 안 되는 전표만 뒤적거렸다. 자연이 옆구리를 찔러도 돌부처마냥 꿈쩍도 안 했다. 결국 보다 못한 박 부장이 손짓으로 사람들을 제자리로 돌려보내더니 본인은 슬그머니 옆자리를 차고앉았다.

"방금 그 사람, 김치 공장 양 사장님인 거 같은데 맞지?"

"……."

"맞는가 보네. 큰일이네. 그 사람 농협 이사잖아. 땅도 꽤 되고 건물도 몇 개나 가지고 있다는 소문은 나도 들었는데. 그럼 우리 이사장하고도 당연히 안면이 있을 테고. 무슨 일인지는 모르겠지만 잘 해결을 봐. 내가 보니까 잘하면 그 집 안으로 시집을 갈 수도 있는 것 같던데 말이지. 그럼 미스 윤은 하루아침에 사모님이 되는 거 아냐?"

탁!

"부장님."

"응? 왜, 왜?"

찬찬히 넘기던 전표를 탁 소리가 나게 내려놓고 나는 박 부장을 노려보았다. 폭발 직전의 화산처럼 속이 부글부글 끓고 있었다. 그러고 보니 그동안 나는 쓸데없이 참 많이 참고 살아왔다. 고로 더 이상은 못 참겠다. 다른 건 다 치우고서라도 내 오늘 이 말만은 꼭 해야겠다.

"제가 미스 윤이라고 부르지 말라고 했죠? 요즘 세상에 여직원을 그렇게 부르는 사람이 어디 있어요? 요샌 다방에서도 그렇게 안 부른다고요."

"아니, 난 그냥 습관이 되어서……. 벌써 십 년이나 그렇게 불렀는데 새삼스럽게. 크흠, 그나저나 이제 어쩔 거야? 양 사장 저러고 갔으니 분명히 무슨 일을 해도 할 것 같은데."

"하든지 말든지. 설마하니 죽이기야 하겠어요?"

"흠, 그건 또 그렇지. 자기 아들이 목을 매고 있다는데. 그런데 양 사장 아들하고는 어쩌다가 그렇게……."

"아, 몰라요, 몰라. 그만 가서 일이나 하세요."

궁금한 게 왜 그리 많은지 박 부장은 더 묻지 못해 안달을 했다. 묻고 또 묻고. 결국엔 내가 불 맞은 멧돼지마냥 신경질을 부리는 걸 보고서야 마지못해 자리로 돌아갔다. 아쉬움이 뚝뚝 떨어지는 얼굴로. 상황을 더 알아내지 못해 안달하는 모습이 너무 역력하다 보니 불현듯 짜증의 강도도 불쑥 커졌다.

여기서 내가 한마디라도 더 보태면 오늘이 다 가기도 전에 온 동네에 방금 전의 일이 소문날 테지. 여긴 그만큼이나 좁은 곳이었다. 두 다리가 아니라 한 다리만 건너도 우리 집 숟가락 개수까지 낱낱이 다 까발려질 정도다. 그래서 속이 터져 죽을지라도 지금은 참을 수밖에 없는 거다.

'망할 인간, 죽으려면 혼자 죽을 것이지 물귀신도 아니면서 왜 자꾸 내 발목을 붙잡고 늘어지는 거니? 으응?'

방문을 걸어 잠갔다는 양재호를 향해 나는 속으로 갖은 원망을 퍼부었다.

철딱서니 없다 노래를 했더니 시위를 하는 방법도 딱 철부지 어린애 같은 사람이었다. 아무리 이해를 해 보려고 해도 도저히 이해를 할 수가 없었다. 어떻게 그 나이에 고작 그런 짓이나 하고 있을 수 있단 말인가. 너무 어처구니가 없어서 말이 다 안 나올 지경이다. 할 수만 있다면 딱 죽지 않을 만큼만 패 주고 싶을 정도였다. 뭐? 방문을 걸어 닫고 밥을 굶어?

"하여간에 맞아야 정신을 차리지. 다리몽둥이가 부러져 봐야 그딴 헛짓을 안 하는데. 아무리 곱게 자랐다지만 무슨 인간이 그렇게 유치하게……."

몸 편하고 시간이 남아돌아서 그런 시위도 하는 모양인데 아무리 그래 봐야 소용없다. 설사 중간에 그가 굶어 죽는다고 해도 나는 눈 하나 깜빡하지 않을 자신이 있었다. 양재호는 단단히 혼나 봐야 정신을 차릴 인간이었다. 같은 지역사회에 거주하는 양심 있는 누군가가 나서서 흠씬 패 다리몽둥이라도 분질러 놨음 좋겠다.

"걱정되지?"

같이 금고를 나선 자연이 걱정스러운 얼굴로 나를 바라보고 있었다. 내 표정이 조금 어두워 보이긴 했는지 위로하듯 어깨도 두어 번 토닥거려 준다. 그러다 문득 길게 한숨을 내쉬더니 곧 타박 아닌 타박을 하기 시작했다.

"그러게 좀 참지 그랬어. 그 노인네 성질 엄청 안 좋아 보이던데 정말로 잘리기라도 하면 어쩌려고 그래? 갚아야 할 대출금도 많으면서."

"그거야 그렇지만, 설마하니 정말로 자르기야 하겠니?"

"하고 간 것만 보면 정말로 그러고도 남게 생겼잖아. 하여간에 언니는 다 좋은데 가끔 욱해서 내지르는 게 문제야. 어쩜 그렇게 확 돌아 버리는지 몰라. 화나면 눈에 보이는 것도 없어지지?"

"……응."

민망하지만 나는 솔직하게 인정했다.

하도 참고 사는 게 많은 탓인지 일단 화가 나면 앞뒤 가리지 않고 내지르는 일이 종종 있었다. 답답한 속을 금방 터뜨리면 그런 일도 없을 텐데 끝까지 꾹꾹 눌러 참다가 터뜨리다 보니 본의 아니게 더 모질어지기도 한다. 그런 스스로에게 질려서 나도 때마다 고쳐야지 생각하고는 있지만 역시나

쉽지가 않았다. 쉬운 일이었다면 애초에 버릇으로 정착되지도 않았을 거였다.

이렇게 저질러 놓았으면서 나는 아마 집에 도착하기도 전에 오늘 한 일을 뼈저리게 후회할 것이다. 그러곤 어떻게든 제대로 된 사과를 하기 위해 전전긍긍하다가 결국엔 소문을 들은 아버지에게 한바탕 혼이 난 다음 양 사장 앞에 불려 가 죄인처럼 무릎을 꿇을 게 틀림없었다. 생각만 해도 슬픈 일이었다.

"휴우, 마가 끼었나. 요즘은 왜 이렇게 되는 일이 없지?"

아무리 열심히 일해도 좀처럼 나아지지 않는 형편처럼 내 상황도 나날이 꼬여만 가고 있는 것 같아 조금 의기소침해졌다. 원래도 안 좋았지만 확실히 요즈음의 나는 최근 몇 년 동안 중 가장 힘든 시기를 보내고 있었다.

"……씨?"

"언니!"

"응? 왜?"

잠깐 넋을 놓고 있었던가?

무심히 걷고 있는 나를 자연이 거칠게 잡아챘다. 그러더니 기절할 듯이 놀란 얼굴로 맹렬하게 등 뒤를 가리켰다.

"저, 저, 저기 저분이 방금 언니 이름을 부른 것 같은데."

"그래? 누군데?"

나는 아무 생각 없이 돌아섰다.

그러자 보이는 것은…… 오후의 강한 햇살을 받으며 서 있는 긴 그림자 하나. 누구지? 정면에서 눈을 찔러 오는 오후의 강한 빛 때문에 얼굴이 잘 보이지 않아 나는 눈을 조금 가늘게 떠 보았다. 그사이 흐트러진 구석 하나 찾아볼 수 없는 회색 양복을 말끔하게 차려입은 훤칠한 키의 남자 하나가 코앞으로 다가와 우뚝 멈춰 서고 있었다. 여름이라는 사실을 잊을 만큼 서늘한 기운을 내뿜는 사람이었다.

　남다른 때깔과 포스를 자랑하는 그 모습을 발견하기가 무섭게 반사적으로 '그 사람'을 떠올렸다. 그 남자, 나에게 끝모를 좌절을 안겨 주었던 예의 맞선남. 그 남자가 딱 저랬었다. 공포스러울 만큼 잘생긴 얼굴에 도저히 이 동네 사람 것 같지 않은 말끔한 차림과 아무리 뒤져도 빈틈 하나 없을 것처럼 반듯한 자세를 내내 유지하고 있었던 그…….

　"윤미숙 씨?"

　"헉!"

　그 사람이다!

　낯익은 목소리가 들리기 무섭게 언제 늘어져 있었냐는 듯 온몸의 신경이 또 화다닥 곤두섰다. 그 사람이었다. 문제의 맞선남. 알아본 순간 피곤에 지쳐 조금 멍하던 정신이 확 깨어나면서 눈이 튀어나올 듯 커다래졌다. 예리하게 눈을 찔러 오는 햇볕을 뚫고 나는 기어이 그의 얼굴을 확인하고 말았다. 하느님 맙소사. 정말로 그 사람이었다.

"어? 다, 다, 당신이 왜 여기에?"

너무 놀라고 당황해서 나는 바보처럼 한참이나 버벅거렸다.

그날의 만남 이후 내내 연락이 없어서 그것으로 모든 것이 다 끝난 줄 알았는데 왜 갑자기 찾아온 것일까? 아니, 여긴 어떻게 알고 왔지? 설마 나를 기다린 것일까? 온갖 상상과 무수한 가능성들이 한꺼번에 몰려와 뇌를 온통 점령하고 있었다. 덕분에 먹통이 되어 버린 컴퓨터처럼 나는 또 한없이 멍청해지고 말았다. 아아, 머릿속이 완전 하얗구나.

"언니야, 호, 혹시 아는 사람?"

멍청하게 서 있는 내 옆구리를 팔꿈치로 찌르며 자연이 물었다.

차마 말이 안 나와서 나는 대답 대신 고개만 끄덕였다. 그제야 간신히 정신이 돌아왔다.

"어떻게 아는 분인데?"

"응? 으응, 그게…… 서, 선본 남자."

"어머!"

자연의 눈이 더 커졌다.

순간 그녀의 눈동자가 외치는 소리를 들은 것만 같았다.

'세상에, 진짜 훈남이잖아. 이게 웬 떡이야!'

소리가 새어 나왔다면 분명히 그런 말이 들렸을 터였다. 그래서였다. 점점 더 황홀하게 변해 가는 눈빛을 무시하고 손을 뻗어 그녀의 등을 억세게 밀어 준 것은.

"먼저 가."

"어, 언니 잠깐 인사라도……."

"다음에 해. 잘 가."

차마 발을 못 떼는 자연을 반강제로 보내 놓고 나는 그와 어깨를 나란히 하고 잠시 걸었다. 그리고 몇 분 뒤 우리는 테이블을 사이에 두고 또 마주 앉아 있었다.

―마주치는 눈빛이이~ 무엇을 말하는지 난 아직 몰라. 난 정말 몰라. 가슴만 두근두그~은. 아아, 사랑인가 봐.

망할 복다방.

나도 모르게 또 복다방으로 들어서면서 하마터면 혀를 깨물 뻔했다. 금고 바로 옆에 커피숍이 있는데, 그 옆에는 레스토랑도 있는데, 왜 윤미숙은 굳이 먼 길을 걸어서 복다방까지 온 것일까. 더위를 먹었나?

'미숙아, 너 정말 미쳤구나.'

나는 정말로 울고 싶었다.

고장 난 에어컨은 아직도 안 고쳐졌고, 무한 반복 버튼이 눌린 전축조차 그대로인 곳엘 왜 또 기어 들어왔나. 아니, 내가 온다고 순순히 따라온 남자는 또 뭔가.

'좀 말려 주지.'

속은 그러했으나 차마 말은 못하고 나는 얼음이 둥둥 뜬 다방 커피를 벌컥벌컥 들이켰다. 마담 할머니의 취향대로 설탕이 듬뿍 들어간 커피가 목구멍을 힘겹게 넘어갔다. 으어어, 너무 달달해서 혀까지 녹아 버리는 것 같다.

"콜록. 저어, 그런데 여긴 어떻게……."

잔을 내려놓으며 나는 조심스럽게 물었다.

남자는 내 것과 똑같은 다방 커피를 앞에 둔 채 무심한 얼굴로 앉아 있었다. 분명히 용건이 있어서 온 것일 텐데 과묵한 성격은 여전한지 여기까지 오는 동안에도 그는 별말이 없었다. 덕분에 또 점점 더 민망해지려고 한다. 하는 수 없이 나는 혼자 떠드는 쪽을 선택했다.

"저 일하는 곳은 어떻게 아셨어요? 혹시 정애 할머니가 가르쳐 주셨어요?"

"네, 그랬습니다. 불쾌했다면……."

"아, 아니에요, 그런 건. 그냥 조금 놀라서요. 솔직히 다시 찾아오실 줄은 몰랐거든요. 하하."

설마하니 다시 볼 줄은 몰랐소이다.

열흘이나 지났는데 다시 봐도 역시 잘생기셨구려. 머리끝에서 발끝까지 과연 남다른 때깔이십니다. 그리고 나는 오늘도 창피해서 죽을 것만 같소이다.

그 주접을 떨고 난 후라 다시 보면 엄청 창피할까 봐 차라리 안 보는 게 더 낫지 싶었다는 말을 어찌 감히 할 수 있으랴. 하고 싶은 말은 많으나 나는 그저 어색하게 웃으며 뒷말을 삼켜 버렸다. 오늘은 운동화도 안 신었는데 아무 이유 없이 발이 안으로 오그라들려고 했다. 그때였다.

"용건이……."

"네?"

"할 말이 있어서 왔습니다. 시간, 됩니까?"

꿀꺽.

그러니까 따로 할 말이 있어서 정애 할머니에게 내가 일하는 곳을 물어 일부러 찾아왔다? 무슨 말을 하려고?

조금 뜻밖의 말이었던 터라 공연히 겁부터 났다.

엄청 바쁘다는 사람이 일부러 시간을 내서 이 더위를 뚫고 여기까지 왔다는 사실을 감안하고 보자 아예 내용을 묻기도 무서울 정도로 심장이 떨렸다. 설마 내가 마음에 들었으니 종종 데이트라도 하자는 말을 하려는 것은 아니겠지?

스스로 생각해 놓고도 순간 데이트라는 단어가 참 낯설다고 생각했다. 그리고 그것의 의미를 깨달았을 땐 또 놀라서 입술로만 데이트, 데이트, 데이트하고 몇 번이나 중얼거렸다. 너무 높은 곳에서 있어서 차마 꿈도 못 꿔 봤지만 어쨌거나 이 엄청난 남자와의 데이트라…….

'무, 무서울 것 같은데.'

슬프지만 아무리 생각해도 견적이 안 나온다. 둘이 만나서 대체 뭘 해야 하느냔 말이다. 분노의 눈싸움?

불안한 떨림이 창백한 손처럼 가슴을 슥 훑고 지나갔다. 갑자기 겁이 났다.

'설마, 정말로 내가 마음에 들었으면 어떻게 하지?'

쿵덕쿵덕쿵덕.

가슴에서 떡방아 돌리는 소리가 새어 나온다. 정말로, 진짜면 어떻게 하지? 말도 안 되는 일이라는 건 알지만 정말로 그럴 것만 같아 벌써부터 온갖 두려움이 몰려오면서 숨이 차고 손발이 떨렸다. 설레발을 치듯 심장이 점점 더 미친 듯이 뛰기 시작했다. 너무 크게 뛰고 있어서 그의 귀에까지 들릴까 봐 겁이 날 정도였다. 아니, 아예 입 밖으로 튀어나와 그의 눈앞에서 노골적으로 벌렁거릴까 봐 무섭다.

'난 차여야 되는데…… 그런데 왜 이렇게 설레지?'

아, 이놈의 청춘이란.

어떤 시인은 '오메 단풍 들겠네.'라고 썼고 나는 그 단풍처럼 얼굴이 온통 새빨개져서는 고개만 배배 꼬았다. 아, 웃으면 안 되는데 왜 자꾸만 웃음이 실실 새어 나온단 말인가. 드디어 미쳤나, 윤미숙?

콩팥까지 벌렁거려서 나는 황급히 심호흡을 했다.

지금 이 순간만큼은 쪼들린 살림도, 남동생의 등록금 걱정과 하루를 망쳐 버린 양 사장 사건까지도 기억 밖 저만치로 밀려나 있었다. 나는 눈앞의 잘생긴 남자를 향해 대지의 어머니처럼 말없이 미소 지어 주었다. 문득 양심의 가책이 느껴지려고 했다.

양재호가 들이댈 때는 기분이 아주 더럽기만 했는데 이 남자에게는 안 그런 게 이상하다. 양재호에게는 볼 때마다 막말을 퍼붓고 심지어 그의 아버지에게조차 성질을 부렸는데 이 남자에게는 그냥 웃어 주고만 싶었다. 잘 보이고 싶다. 그런 스스로의 생각이 어처구니없으면서도 동시에 매우 이중적으로 느껴져서 나는 조금 혼란스러웠다.

그는 마치 모든 여자들의 이상형처럼 생겨서 나도 첫눈에 혹한 건 사실이었다. 하지만 무슨 감정이 있는 것은 아니다. 오고 가는 감정이 어쩌니 하기엔 너무 까마득한 곳에 있는 사람이었다. 감히 넘볼 수 없다. 처음 본 순간부터 가질 수 없는 사람이라는 것을 알았기에 단념도 빨랐던 것이다. 그런데도 데이트가 아닌 고작 '할 말'이라는 한마디에 이렇게나 설레고 무작정 잘 보이고 싶은 욕심이 드는 것은 어쩌면 내 안에 생겨난 작은 허영심 때문인지도 몰랐다.

그는 누가 봐도 잘생겼고 치명적인 매력을 가졌으며 옷도 잘 입고 또 부자처럼 보인다. 그리고 결정적으로 이곳 사람이 아니다. 나에게 그는 아무리 멋있어도 현실이 될 수 없는 동화 속 왕자 같은 사람이었다. 가까이 있어서 손만 내밀면 닿을 것처럼 보이지만 사실은 아주 먼 곳에 떠 있는 달 같은 사람이다. 그래서 마주 앉아 있음에도 불구하고 때때로 현실처럼 느껴지지 않았다.

그에 반해, 양재호는 아주 통렬한 현실이었다.

볼 때마다 그는 궁색한 현실과 이 좁은 곳에서 옴짝달싹

할 수 없는 처지를 온몸으로 깨닫게 해준다. 그 호색적인 바람둥이는 아주 원초적인 방법으로 내가 시골에 사는, 별 볼일 없는 노처녀라는 사실을 인지하게 만들곤 했다. 그것이 싫어 그에게 더 냉정하게 굴고 있는 것인지도 몰랐다. 물론, 그전에 엉덩이를 치고 가는 그 망할 손버릇도 재수 없긴 했지만.

'쓸데없는 자존심은……'

생각의 끝에서 씁쓸한 미소가 배어 나왔다.

그런 양재호조차 감히 바랄 수 없는 처지가 새삼 아프게 깨달아졌기 때문이다. 역시 선을 보는 게 아니었다. 괜히 맞선 같은 걸 봐서 인생에 없었던 허영심까지 생겨 버리고 말았지 않나. 선을 안 봤다면 '한 번이라도 좋으니까 이런 멋진 남자와 연애라도 해 봤으면.' 하는 생각 같은 건 절대 생겨나지 않았을 것이었다.

씁쓸한 생각들 때문인지 두근거림이 조금 가라앉았다.

나는 여전히 보살과도 같은 온화한(?) 미소를 머금은 채 그를 바라보았다. 사소한 말 한마디에 무작정 두근거리며 얼굴부터 붉힌 나와 달리 그의 표정은 처음과 마찬가지로 한없이 여유롭고 담담해 보였다. 아니, 담담한 것을 넘어 분위기가 조금 더 차가워진 것처럼 보이기도 했다. 당연히 설렘이나 즐거워 보이는 기색은 어디에도 없었다. 아무리 봐도 무슨 생각을 하고 있는지 읽을 수 없다. 그런 모습을 보고서야 나는 깨달았다.

'아, 그런 용건은 아니구나.'

그제야 그가 나처럼 할머니들 등쌀에 못 이겨 반은 억지로 선을 보러 온 사람이라는 사실이 떠올랐다. 그가 댄 핑계처럼 딱히 할 말이 있어서도 아닐 것이다. 이번에도 할머니가 등을 떠민 게 틀림없었다. '한 번만 봐서는 잘 모르는 거니까 그래도 할미 얼굴을 봐서라도 한 번 더 보고 와라.' 라는 소리라도 들은 것일 테다. 그거라면 이해할 수 있었다. 그는 말이 없는 사람이지 예의가 없는 사람은 아닌 것 같으니까 말이다. 그런 결론에 이르자 갑자기 마음이 확 편해졌다. 그래서 어마어마한 실망감을 접어 두고 나는 또 용감하게 내질렀다.

"식사는 하고 오셨어요?"

이번에도 내지르기가 무섭게 또 후회했지만 이미 늦었다.

어차피 때는 딱 밥때였고 그는 기다렸다는 듯이 자리에서 일어섰으니까. 그리고 이번에도 아주 당연하다는 듯이 우리는 나란히 걸어 또 다른 식당으로 들어서게 된 것이다.

"이열치열이라고 하잖아요."

부글부글 끓는 삼계탕을 사이에 두고 마주 앉아 나는 조금 멋쩍게 말했다. 좀 뜨겁긴 하지만 그래도 이번엔 제대로 고른 것 같았다. 메뉴도 메뉴지만 무엇보다 가게가 넓고 시원하니 괜찮았다. 괜찮은 게 당연했다. 그와 하는 마지막 식사라는 생각에 한 번쯤은 잘해 보고 싶어 부러 비싼 곳을 고른 것이니까.

"여기 작은 접시에 덜어 먹어야 해요."

소금 후추로 간을 하고 파까지 띄운 다음 손수 국자를 들고 그의 그릇에 닭을 소담스럽게 담아 주었다. 비싼 곳이라 그런지 굵직한 인삼도 띄웠기에 그것까지 해서 듬뿍 담아 주고 내 그릇에는 국물이랑 죽만 조금 퍼 담았다. 그 모습을 그가 의아한 듯 빤히 바라보고 있었다.

"아, 저는 이상하게 고기보다 국물이랑 죽이 더 맛있더라고요. 취향이 원래 그래요. 그래서 찌개 같은 것도 건더기보다 국물을 더 잘 먹고요."

"……."

"얼른 드세요. 여기, 깍두기랑 같이 드세요. 시원하고 맛있어요. 파 별로 안 좋아하시죠? 그래도 띄운 건 다 드세요. 그러는 게 더 맛있으니까."

처음 밥을 먹던 날, 파 무침을 피해 가던 젓가락을 떠올리며 나는 짧은 잔소리를 덧붙였다. 이 고난의 시기에 먹는 것 가지고 까탈을 부리는 건 말이 안 되는 일이라는 것이 평소 나의 지론이었다. 당연히 반찬 투정 같은 것을 허락해 본 적도 없었다. 맛이 있으면 있는 대로 혹은 없으면 없는 대로, 그냥 주는 대로 먹어 주는 게 가족의 미덕이 아닌가 말이다. 물론, 여긴 돈 받고 파는 식당이긴 했지만 일단 꺼내 놓은 것은 다 먹어 주는 것이 돈과 음식에 대한 예의일 터였다.

"뜨거우니까 천천히 드세요."

안 그래도 느긋하게 수저를 드는 남자를 향해 나는 또 방 긋 웃어 주었다. 예쁜 것들은 뭘 해도 다 예쁘다더니 그가 딱 그랬다. 그냥 삼계탕을 먹는 것뿐인데도 어쩜 그리 근사한지 안 먹어도 배가 다 불렀다. 아버지나 동생들에게 좋은 것을 배불리 먹여 줄 때랑 비슷한 느낌이었다. 먹어만 주면 그저 막 고맙고 황송할 것 같았다.

'우리 미준이는 밥 잘 먹고 다니고 있나?'

조금 식은 죽을 입에 떠 넣으며 문득 서울에 있을 남동생 을 떠올렸다. 얼마 전 연락을 했을 때 아르바이트 중이라고 하던 녀석의 말이 아릿하게 귓가에서 맴돌았다. 눈치가 빠른 동생이라 아직 등록금을 마련하지 못했다는 사실도 알고 있 을 텐데 어쩌고 있는지……

'마이너스 통장으로 다 될까 모르겠네.'

잠시 잊고 있던 등록금 생각에 수저질이 조금 느려졌다.

때마다 쉽게 넘어가는 법이 없어서 미준이도 이때 즈음엔 신경이 바짝 곤두서 있을 거였다. 그리고 어떻게든 돈을 마 련해 보기 위해 이런저런 아르바이트를 전전하고 있을 가능 성이 컸다.

그 생각까지 하자 왠지 입안이 깔깔해져서 푹 퍼진 죽이 갑자기 잘 넘어가지 않았다. 남기면 안 된다는 생각에 억지로 입에 넣고는 있지만 맛을 잘 모르겠다. 자연스럽게 수저질은 더 느려졌다.

툭!

"어?"

죽을 입에 넣으려다 말고 나는 조금 놀란 얼굴로 고개를 들었다. 죽을 반쯤 뜬 수저 위에 큼직한 닭고기 살이 얹어져 있었다. 내 수저 위에 닭고기를 얹어 준 그가 덤덤한 얼굴로 바라보고 있었다. 지적인 까만 눈동자가 '이렇게 먹는 게 더 맛있습니다.' 라고 말하고 있는 듯했다. 그게 또 지나치게 멋있어서 조금만 더 오래 바라보고 있기라도 하면 그대로 코피가 쏟아질 것만 같았다. 이거야 원 너무 황송해서…….

"가, 감사합니다."

순간 당황해 나는 말까지 더듬었다.

그런 내 수저 위에 그는 다시 깍두기도 하나 턱 얹어 주었다. 그러곤 말없이 자기 몫을 먹기 시작했다. 그 모습을 홀린 듯 바라보다 얼굴이 벌겋게 달아오른 채 나도 수저 위의 것을 조심스럽게 입에 넣었다.

'마, 맛있다!'

표정만큼이나 진지하기 이를 데 없었던 그의 눈빛 때문일까 아니면 스치듯 보여 준 작은 관심 때문일까?

방금 전까지 네 맛도 내 맛도 아닌 것처럼 여겨지던 것이라고는 도저히 믿어지지 않을 정도로 그것은 정말로 맛있게 변해 있었다. 너무 맛있고 부드러워서 죽도, 고기도, 깍두기조차도 크림처럼 입에서 살살 녹는 것 같았다. 그의 얼굴을 볼 때마다 엄습하던 긴장감도 그 순간만큼은 완전히 잊어버렸다.

그에 나는 그릇에 고개를 처박고 열심히 수저질을 하기 시작했다. 그가 권한 대로 고기랑 깍두기를 죽 위에 얹어 먹었다. 먹는 일에 목숨을 건 사람들처럼 그도 나도 땀을 뻘뻘 흘려 가며 말 한마디 없이 열심히 먹기만 했다.

"후아, 배부르다."

솥바닥까지 닥닥 긁어 먹은 후에야 나는 수저를 내려놓았다.

너무 열심히 먹어 배가 온통 빵빵해져 있었다. 생각해 보니 근래 들어 가장 배부르게 먹은 날이었다. 사실, 그동안은 거의 먹는 둥 마는 둥 하면서 지냈었다. 여름이라 입맛이 돌지 않은 탓도 있지만 역시 쌓인 집안일과 등록금 마련할 걱정을 하느라 심신이 안팎으로 왕창 지쳐 있었던 것이다. 다른 일에 신경 쓰느라 스스로가 그렇게 지쳐 있었다는 사실조차도 이제야 깨달았다.

해도 해도 끝이 없는 집안일에 아버지랑 동생들 일을 챙기느라 정신이 없어서 내 문제는 언제나 뒤로 밀어 두기 일쑤였으니까. 스스로를 위해 하루쯤은 푹 쉰다거나 무언가 그럴

듯한 투자를 해 준 적도 없었다. 덕분에 옷을 사 본 게 언제인지 기억도 못한다. 미용실에 가 본 건 반년 전의 일이었고 여행 따윈 고등학교 때의 수학여행 이후 한 번도 가 본 적이 없었다.

이런 지경이니 몰골이 더 촌스럽고 추레해지는 건 당연한 거였다. 여느 시골 아주머니들처럼 몸빼 바지 입고 커다란 챙모자를 쓴 채 밭을 누비면서 사는데 뭘 더 바라나.

'사과 수확 끝나면 좀 쉴 수 있을까?'

갑자기 억울한 생각도 들고 어쩐지 더 피곤한 것도 같아 하루쯤 놀 수 없을까 하고 가만히 궁리를 해 보았다. 날을 정해 딱 하루만 스스로를 위해서 쇼핑도 하고 가까운 곳으로 놀러가 보고 싶다는 생각도 들었다. 서울로 독립한 친구 영은이의 집에서 하룻밤쯤 자고 오는 것도 좋을 것이다.

'아, 아부지 진지 차려 드려야 하는데. 미주 시험도 코앞이고⋯⋯.'

과감하게 외박까지 생각을 이어 가다가 그쯤에서 나는 그냥 고개를 흔들고 말았다. 아무리 생각해 봐도 쉴 수 있는 날이 없었다. 농사일이라는 게 아주 어이가 없어서 수확이 끝나도 여전히 할 일은 많았다. 솎아 내기도 해야 하고 밭도 매고 가을 거름도 줘야 한다. 밭일이 아니더라도 혼자서는 밥도 제대로 못 차려 드시는 아버지와 입시를 앞두고 있어서인지 요즘 부쩍 이상해진 막내를 두고 간 어딜 간단 말인가.

'내 팔자에 외박은 무슨……'

표 안 나게 한숨을 내쉬며 후식으로 나온 수정과를 들이켰다.

이 상태를 이어 가는 것도 아슬아슬한 처지에 짧은 순간이나마 너무 과한 꿈을 꿔서 그런지 빵빵하던 배가 안으로 푹 꺼지는 것만 같았다. 그러니까 이게 다 눈앞에 앉은 저 남자 때문이었다. 허영이라곤 부려 본 적도 없는 윤미숙이 갑자기 제 몰골에 신경을 쓰고 싶어진 건 저 잘생긴 남자에게 혹한 탓이다. 아닌 척하지만 사실은 예쁘게 보이고 싶어서 안달이 났다.

윤미숙도 꾸미면 다른 여자들만큼은 된다는 사실을 증명해 보이고 싶다. 그러면 예의상이 아니라 정말로 데이트를 하고 싶어서 다시 찾아 줄지도 모르니까. 아니, 아니다. 그래 봤자 소용없는 짓이다. 내가 아무리 잘 가꾸고 꾸며 봐야 결국은 딱 시골 사는 여자의 모습밖에 안 나온다. 어떻게 해도 그의 수준이나 기대에는 맞출 수가 없는 것이다. 잘 알고 있는 사실을 다시 되새김질하는 스스로가 너무 어처구니없어 나는 또 쓰게 웃었다.

'미숙아, 이 남자는 너에게 반한 게 아니야. 정신 차리자.'

할 말이 있어서 왔다는 남자의 말에 낚여서 어느새 바람맞은 갈대처럼 사정없이 흔들거리기나 하다니. 아, 난 왜 이렇게 덜떨어졌지? 확실히 제정신이 아니었다. 이래서 너무 잘난 남자와는 선을 보는 게 아니라고 하는 거다. 내 취향대로 대놓고 평범한 남자였다면 얼마나 좋았을까. 그럼 이런 우스꽝스러운 자학 따위 안 해도 되었을 텐데.

"그런데 평일인데 어떻게 내려오셨어요?"

수정과를 들이켜는 그를 향해 뒤늦게 물었다.

그러고 보니 이 남자도 은행에 다닌다고 했었다. 무슨 은행인지는 모르겠으나 은행이라고 하는 것들의 마감 시간은 대개 비슷해서 그도 정상적인 퇴근을 했다면 나와 비슷한 시간대에 은행을 나섰어야 했다. 그런데 바로 그 정상적인 퇴근 시간에 이 시골에 와 있다니. 조금 의아한 생각이 들었지만 어차피 내가 신경을 쓸 바는 아니었다. 여름휴가 기간이거나 월차라도 냈나 보지 뭐.

"혹시 근처로 출장 나왔다 올라가는 길이세요?"

"……."

"피곤하시겠어요. 더운 날에 차 타고 왔다 갔다 하는 것도 보통 일은 아니죠?"

생긋 웃으면서 묻는 말에 그가 계피향이 진하게 도는 수정과를 도로 내려놓고 나를 바라보았다. 그러곤 여전히 웃음기 하나 없는 목소리로 말했다.

"먼저 이야기했다시피 할 말이 있어서 왔습니다. 조금 빠른 이야기인 것 같지만……."

"……?"

"언제가 좋겠습니까?"

"네? 뭐, 뭐가요?"

"결혼식."

"……!"

아무 생각 없이 하하 웃다 말고 나는 바짝 굳어 들었다.

갑자기 어딘가에서 쾅 하는 소리가 울렸다. 동시에 뒤통수가 후끈해지면서 무슨 소리를 들은 건지 깨달을 수 없을 만큼 머릿속이 하염없이 멍해졌다. 누군가 날 '빡' 하고 쳤는데 누가 어디서 무엇으로 쳤는지는 모르겠고 아프기만 더럽게 아픈 것과 똑같은 상태가 맛이 살짝 간 '삐' 소리와 함께 한참이나 이어졌다.

그 한참 동안 정말로 아무 생각이 안 들어서 누가 머리만 똑 떼어 간 것 같았다. 그러다 간신히 알아들었을 땐 아무 이유 없이 혼자만 웃고 있었다는 사실에 대한 면구스러움과 함께 쓰나미 같은 당혹스러움이 몰려왔다.

거기에 더해 원인 모를 공포와 경기하듯 시작된 떨림까지.

그가 말한 '할 말'이란 게 설마 청혼이었단 말인가? 아, 아까 그게 정말로 청혼이었나? 그러고 보니 결혼식이라고 했다. 결혼이라. 데이트도 아니고 결혼?

"무, 무슨 말씀이신지 저는 잘……."

"다음 달을 넘기지 않았으면 좋겠습니다만."

입이 벌어졌다.

방향을 잃은 시선을 모아 다급하게 그의 눈동자를 찾았다. 뒤통수를 후려친 사람답지 않게 그는 여전히 담담한 얼굴이었다. 예의 지적인 까만 눈동자가 여느 때와 마찬가지로 별처럼 진지하게 빛나고 있었다. 이의를 불허하는 단호한 빛이 찌르듯 똑바로 덮쳐 왔다. 다시 턱이 아래로 뚝 떨어졌다. 오 마이 갓, 오 마이 갓. 그럼 정말로 진심이라는 말인가? 데이트도 아니고 결혼을 하자고? 정말 청혼을 한 게 맞다고?

깨닫기가 무섭게 이번엔 눈앞이 핑 돌았다.

묵직한 충격도 몰아쳐 왔다. 그 충격이 너무 커서 심장 아래가 뭉근하게 아플 정도였다. 둔기로 뒤통수를 맞았다고 해도 이보다는 덜 아플 것 같았다.

이 사람은, 이 사람은 도대체 밥 잘 먹고 나서 이 무슨 끔찍한 소리를 하고 있는 거지?

너무 갑작스럽게 터져 나온 말이라 도대체 어떻게 반응을 해야 하는지 갈피조차 잡을 수가 없었다. 아니, 반응은 둘째 치고 그냥 막 무서워서 죽을 것만 같았다. 그만큼이나 갑작스럽고 생뚱맞게 터져 나온 말이었다. 데이트까지만 생각해도 무서워 죽겠는데 결혼을 하잔다. 상상만으로도 벌써부터 숨통이 조여들었다.

무슨 말을 해야 할지 알 수 없어서 나는 한껏 당혹스러운 얼굴을 한 채 대답 대신 가만히 손가락을 들어 올렸다. 아무래도 귀가 이상해졌나 보다. 요즘 냉방병이 무섭다더니.

"생각할 시간이 필요하다면……."

훈남의 앞이라는 사실도 망각하고 조심스럽게 귀를 후비다 거의 경기하듯 놀라 다시 그를 바라보았다.

시간? 시간이라.

당연히 필요하다. 그런데 결혼에 대해서 생각할 시간이 아니라 그가 과연 제정신인지에 대해 고찰해 볼 시간이 더 필요한 시점이었다. 선보고 결혼하는 사람이야 어딜 가나 흔한 세상이지만 그래도 이건 도무지 말이 안 되는 일이었으니까.

열흘 전에 선 자리에서 만나 이제 겨우 두 번째 보는 건데 갑자기 날을 잡자니? 첫 만남에서부터 호감을 보인 것도 아니고 말도 몇 마디 나눈 것이 없는 사이였다. 당연히 서로에 대해 아는 것이 없거니와 설마하니 이런 뭣 같은 상황이 도래할 거라는 생각조차도 나는 해 본 적이 없었다. 말끔하게 차였고 그래서 다시 볼일이 없을 거라는 생각을 했다면 모를까 절대로 이런 상황을 바란 적이 없다. 이건, 이런 건 나에겐 상상만으로도 무서운 일이었다. 정말로 무서워 심장이 멈출 일이란 말이다.

그런데 다음 달을 넘기지 말자고?

초고속도 이런 초고속이 없어서 나는 아마 결혼을 하기도 전에 숨이 차서 죽을지도 모른다. 상황이 이렇게 난감하게 흘러가자 덜컥 의심도 들었다. 혹시 이 사람 더없이 멀쩡한 얼굴을 하고 있지만 사실은 살짝 미친 거 아닐까? 그래서 여태까지 장가를 못 간 것이고? 아, 정말 그런 거면 어떻게 하지?

"저, 저기 죄송하지만 저는 아직……."

"맞선이라는 건 결혼을 전제로 만나는 겁니다. 맞습니까?"

"네? 그거야…… 네."

"제가 윤미숙 씨의 기대에 부족한 점이 있다면……."

"그, 그건 아니죠. 절대로 아니에요."

나는 필사적으로 고개를 저었다.

너무 넘쳐서 탈인 사람에게 감히 모자라다고 말할 용기가 나에겐 없었다. 모자라도 내가 한참이나 모자란 처지이다 보니 애초부터 그를 향해 뭔가를 기대해 본 적이 없다. 말끔하게 차 줄 거라는 비참한 기대 말고는 말이다. 어쨌거나 머리통이 떨어져라 고개를 저어 대는 나의 반응에 그는 내심 만족스러운 듯 가볍게 고개를 한 번 끄덕여 보였다.

"그럼 결혼에 동의하신 걸로 알겠습니다. 가능한 빨리 날짜를……."

"자, 잠깐만요!"

"무슨 문제가 있습니까?"

"아, 아니요. 네! 아니, 그러니까 그게…… 죄송해요."

그의 페이스에 휘말려 코뚜레를 낀 소처럼 질질 끌려가다 퍼뜩 정신을 차렸다. 이래서는 안 된다. 뭔지는 모르겠지만 이유도 모른 채 당할 수는 없었다. 도대체 이 남자는 왜 갑자기 윤미숙과 결혼을 하고 싶어진 것인가. 혹시 처음부터 이럴 생각으로 선 자리에 나온 것은 아닐까?

숨을 헐떡이며 나는 필사적으로 생각했다.

갑자기 결혼을 결심한 거라면 천만 분의 일의 확률로 내가 마음에 들었을 수도 있다. 아무 기대 없이 나왔다가 '오호, 이 여자 제법 괜찮군.' 하는 마음이 들었을지도 모른다는 이야기다. 하지만 상대의 호불호를 떠나 처음부터 결혼을 결심하고 선을 본 거라면 나에게 무언가 바라는 것이 있을 확률이 크다. 그리고 나는 어렵지 않게 정답을 찍을 수 있었다.

'할머님이 계시다고 했었지.'

부모님은 일찍 돌아가셨지만 할머님이 계시다고 들었다.

그는 사랑받는 장손이라서 손수 키워 준 할머님을 상당히 끔찍하게 여기고 있다는 말을 스치듯 들었던 것도 같다. 그래서 애초에 자리를 만들어 주면서 정애 할머니도 그 양반에게 잘해야 한다고 노래를 했었다. 그냥 몸만 와도 된다는 말을 하기 직전에 말이다.

불길한 예감이 섬광처럼 뇌리를 강타했다.

그래, 바로 그거다.

그는 할머니 성화에 못 이겨 선을 보러 나온 사람이었다. 그러니 그분의 뜻대로 결혼을 결심했다고 해도 아주 이상한 일은 아니었다. 그는 너무 효자라서 연로하신 양반의 마지막 소원을 들어주는 심정으로 혹은 자기희생정신에 휩싸인 나머지 아무 대책 없이 앉아 있는 나에게 시한폭탄을 던져 준 것이다. 굳이 윤미숙이 아니어도 상관없었을 일이었다. 그는 처음부터 무조건 결혼을 결심하고 선을 보았고 그런 이유로 상대가 어떤 여자라도 괜찮았던 거다.

그랬구나! 그런 거였구나!

깨달음과 함께 머릿속이 순간 차분하게 정리되었다.

위기감을 느낀 탓인지 평소엔 답답할 정도로 느리기만 하던 뇌세포가 초고속으로 팽팽 돌아간 덕분이었다. 그제야 긴 한숨이 터져 나왔다. 설렘인지 두려움인지 구분하지 못하고 미친 듯이 뛰던 가슴도 어느새 얌전해졌다. 나에게 이런 상황은 그럭저럭 낯익은 편이었다.

"정말 죄송합니다."

떨림이 가신, 낯설 정도로 부드러운 목소리로 차분하게 말했다.

"사실은 제가……."

"아무래도 시간이 필요한 것 같군요."

"네? 아니 그게……."

"당황스러운 마음 이해할 수 있습니다. 갑작스러운 이야기

였을 겁니다. 그러니 시간을 드리겠습니다. 충분히 생각하고
답해 주십시오."

그런 시간 따윈 굳이 안 주셔도 되는데.

시간이 생기면 윤미숙은 생각하고 또 생각할 테고 그러
다 흔들리고 갈등하고 방황하다가 결국엔 어려운 형편과
집안 살림을 떠맡고 있는 맏딸 된 처지를 떠올리는 것을 끝
으로 완벽하게 지쳐 떨어져 버릴 것이다. 안 봐도 훤하다.
나는 아주 전형적인 a형 여자였다. 겁 많고 소심해서 없는
일도 미리 만들어 걱정하고 내지르는 말보다 속에 담아 놓
은 말이 더 많은데다 쓸데없는 책임감만 하늘을 찌르는 주
제에 사소한 일을 가지고도 상처를 곧잘 받는 섬세한 성격
이다.

이런 이상한 여자에게 시간 따윈 왜 준다는 건가.

이렇게나 여유 만만한 태도로 마치 붕어에게 떡밥을 날리
듯 가능성의 여지를 심어 주어서 뭘 어쩌려고?

순간, 나는 진심으로 지금의 내 형편을 털어놓고 싶은 강
한 충동을 느꼈다. 내 사정을 안다면 아무리 무심한 그라도
이런 말도 안 되는 요구를 할 수는 없을 터였다. 그리고 결국
엔 언제 청혼을 했었냐는 듯 아주 깔끔하게 떨어져 나갈 것
이다. 아주 오래전에 선을 본 어떤 남자도 그랬었다. 첫눈에
반했다며 그냥 빈 몸으로 와도 좋다고 호언장담하던 사람이
었는데 빚만 잔뜩 짊어지고 있는 나의 처지를 안 순간 뒤도

안 돌아보고 사라졌다.

그 외에도 많았다.

몸이 불편하신 어머니를 모시고 같이 살아만 준다면 어떤 여자라도 좋다고 하던 사람도, 누이가 여섯에 외아들이었던 사람도, 심지어는 나이 마흔에 자식이 딸려 있던 사람도 모두 같은 이유로 나를 외면했다. 덕분에 나는 생각보다 일찍 세상의 인심을 알아 버렸고 더불어 남자들에 대한 믿음도 버렸다. 그리고 어쩌면 결혼에 대한 환상도.

마음 한편이 아프게 쓰리려 와 잠시 심호흡을 해 보았다.

그를 향한 무지막지한 실망감이 몰려왔다. 스스로도 모르는 사이 그가 아주 멋진 사람이라고, 이제까지 본 남자들과는 많이 다른 사람이라고 생각하고 있었던 모양이다. 짧은 순간, 차가워 보이는 겉모습과는 달리 사실은 아주 다정한 사람일지도 모른다는 생각도 했다. 그래서 어쩌면 나를 사랑해 줄 수 있을지도 모른다는, 그런 우스운 꿈도 꾸어 보았다. 그런데 아니었다. 결국은 그도 내가 이전에 선을 본 남자들과 똑같은 사람이었다.

절대로 내가 좋아서가 아니었다.

연로하신 할머님의 소망이든 혹은 다른 무엇이든 간에 바라는 게 있어서 선을 보았고, 그가 생각하기에 내가 그 일을 그럭저럭 잘 해낼 것처럼 보여서 이렇게 불쑥 결혼 이야기를 꺼내고 있는 것이다. 그런 주제에 예의 바른 얼굴을 하고 앉아 내가 사 주는 밥을 먹었다. 다정한 척 수저 위에 닭고기를 얹어 주었다.

복잡한 생각을 이어 갈수록 기분은 점점 더 가라앉았고 결국엔 없던 배신감마저 찾아들었다. 이 뭣 같은 상황에서 내가 할 수 있는 말은 단 한마디뿐이었다.

"죄송해요."

미안해요. 그런데 나도 여자예요. 사랑받고 싶은 여자요. 나는 사랑을 받고 싶었던 거지 당신이 이용하기 좋은 여자가 되고 싶었던 것이 아니었어요. 그러면, 그러면 내가 너무 불쌍한 거잖아요.

"이유를…… 알 수 있겠습니까?"

"네?"

"결혼을 할 수 없다고 생각하는 이유."

별로 놀라는 기색도 없이 그가 팔꿈치를 세우고 두 손을 깍지 낀 채 단도직입적으로 물었다. 부드러우면서도 강직한 시선이 한동안 집요하게 내 눈빛을 훑고 있었다. 나는 그냥 미안하다고 말한 것뿐인데 그 한마디로 거의 모든 상황을 눈치채기라도 한 듯 그는 나를 거침없이 닦아세웠다.

못하는 게 아니라 할 수 없다고 생각하는 이유.

두 번을 만났건 세 번을 만났건 간에, 상대가 마음에 들고 안 들고를 떠나 어쨌거나 결혼을 할 수 없다고 생각하는 이유. 망설임이 아닌 포기인 이유.

'지금 당신의 발목을 붙잡고 있는 것이 무엇인가.'

그는 그런 질문을 하고 있었다.

갑자기 목이 타기 시작했다. 말을 해야 하는 것일까? 꼭 모든 것을 들어야만 속이 시원해진다는 건가? 어차피 나를 좋아하는 것도 아닌 주제에 이 사람은 왜 내게 이런 잔인한 요구를 하고 있는 것인가.

배신감까지 느낀 마당에 할 말은 아니지만 여기서 꼭 내 치부를 밝혀 더 큰 수치심을 불러와야만 하다니. 지금까지만 으로도 충분히 너저분한데 더 후줄근한 이야기들을 꺼내 그에게 '도대체가 눈뜨고 봐 줄 수 없는 여자' 정도로 기억된다면 나는 자다가도 엄청나게 쪽팔리고 슬퍼질 터였다.

결혼의 유무를 떠나 그런 일만큼은 절대로 피하고만 싶은 심정이었다. 그런데 이 남자의 시선은 또 끈질기기가 마치 끈끈이주걱과 같아 도무지 내 얼굴에서 떨어질 생각을 안 하고 있는 거다. 무슨 일이 있어도 대답을 들어야겠다는 뚝심마저 느껴져 이 후덥지근한 날씨에 소름이 다 돋았다.

말하자니 내가 너무 불쌍하고 그냥 입을 다물자니 숨이 막힌다.

그에 우리는 또 입을 꾹 다문 채 한참이나 서로를 죽어라 바라보게 된 것이다. 아니, 그는 나를 바라보았고 나는 그의 시선을 필사적으로 피해 다녔다. 대체 내가 무슨 죽을죄를 지어서 이러고 있는 건가.

'그러는 댁은 왜 하필이면 나하고 결혼이 하고 싶어진 것이랍니까? 내가 제일 만만해 보여서?'

생각만으로도 이가 악 다물렸다.

나도 자존심이 있다. 그간 양재호에게 당한 일도 억울해 죽겠는데 그에게까지 만만한 여자로 보여진다면 모르긴 해도 죽도록 화가 날 것 같았다. 분노의 힘인지 순간 간덩이가 커다랗게 부풀어 올랐다. 번쩍 고개를 들었다. 그리고 나는 아주 당당하게 소리쳤다.

"사실은, 그쪽이 제 이상형과 거리가 너무 멀어서요."

"……."

"죄송합니다."

코가 탁자에 닿도록 고개를 꾸벅 숙인 다음 나는 조용히 자리에서 일어섰다. 이건 거짓말이 아니다. 내 이상형은 대놓고 평범한 남자인데 그는 어느 한구석 평범한 곳이 없는 사람이었다. 거리로 치면 딱 하늘과 땅 차이다. 어쨌거나 나는 조금 치사한 것뿐이지 결코 거짓말을 한 것이 아니었다. 문제는 이 나름 충격적인 발언 앞에서도 그가 눈 하나 깜짝하지 않았다는 사실이다.

마음에 안 든다는 듯 그는 어느새 미간에 주름까지 잡고 있었다. 의구심을 지우지 않은 강렬한 시선이 여전히 집요하게 따라붙었다. 그러다 기어이 그의 입에서 나직한 한마디가 새어 나왔다.

"음, 아무래도 시간을 주는 게 낫겠군요. 내일 다시 봅시다."

"에?"

"집이 어딥니까? 들어가는 길이라면 같이……."

"아, 아니에요! 혼자 갈 수 있어요. 안녕히 가세요."

아, 쪽팔려.

그가 뭐라 더 말하기 전에 나는 마치 도망치듯 그 자리를 떠나 버렸다. 행여 붙잡을세라 뒤도 안 돌아보고 미친 듯이 뛰었다. 정신을 차렸을 땐 털털거리면서 굴러가는 버스에 앉아 멍하니 창밖을 보고 있었다.

먼지 낀 유리창 위로 한쪽 눈썹을 근사하게 들어 올리던 그 남자의 마지막 모습이 유령처럼 스쳐 갔다. 예상 밖의 일이었음이 분명했을 텐데도 그는 전혀 당황하는 기색 없이 여전히 흔들림 없는 시선으로 나를 보았었다. 화를 내지도, 진짜 이유를 따져 묻지도 않았다. 그저 조금 더 깊어진, 진지하게 빛나는 눈동자로 나를 똑바로 바라보았을 뿐이다.

그 따뜻하지도 시리지도 않은 시선이 순간 명치를 훅 치고 지나간 것만 같았다. 그래서 돌아선 그 직후부터 나는 한동안 숨을 쉬지 못했었다.

'그게 정말 너의 진심이 맞아?'

어쩌면 그는 그런 말을 하고 싶었던 것일지도 모르겠다. 그게 아니라면…….

"네가 아니라도 여자는 얼마든지 있다는 말을 하려던 거였 겠지."

자리를 박차고 나오는 나를 그는 끝내 쫓지 않았다.

아쉬운 게 없다는 듯 반듯하게 앉아 나의 바보 같은 행동 을 끝까지 지켜보기만 했었다. 그런 그의 모습이 나로 하여 금 이런 자학적인 생각을 하게 만든 원인이 되었다. 아주 사 소한 반응 하나로 그는 나를 바닥까지 완전히 끌어내린 것이 다.

"나도 아쉬운 거 하나도 없어. 그런 남자 따윈 어차피 취향 도 아니고……."

고집스럽게 중얼거리며 나는 입을 앙다물었다.

이상하게 자꾸만 눈가가 뜨거워지려고 한다. 자존심이 상 했다. 거절한 건 자신인데 어째서 이렇게 깊은 좌절감이 느 껴지는지 모르겠다. 그 남자가 대체 뭐라고. 뭐가 그렇게 특 별해서 고작 두 번밖에 못 본 사람에게 배신감까지 느꼈을 까.

"얼굴은 또 왜 그렇게 잘나서는……."

역시 잘난 얼굴 때문에 낚인 게 분명하다.

그를 똘똘 휘감고 있던 그 이상한 분위기 때문이다. 만나 기 전부터 인연이 아니라고 선을 그어 놓은 건 나였다. 그 생 각이 바뀐 적은 없었다. 처음부터 그는 못 올라갈 나무 같은 사람이었고 나의 상황은 점점 더 악화일로를 걷기만 했으니까. 그럼에도 불구하고 마음 한편으로 나는 나를 온전히 사랑해 줄 수 있는 사람을 만나는 날을 꿈꾸었다. 어려운 형편이나 내가 짊어지고 있는 것들과는 상관없이 진짜 나를 발견하고 사랑해 줄 수 있는 사람. 잠시지만 그 사람이 그래 주었으면 참 좋겠다는 생각도 했다.

윤미숙은 바보다.

떡 줄 사람은 생각도 안 하는데 혼자서 김칫국만 배부르게 마셨다. 애정에 굶주린 사람처럼 그의 다정한 구석을 악착같이 찾아내 마음대로 기대해 버렸다. 그러곤 착각했다는 사실을 알자마자 제멋대로 상처받았다. 세상에 어떤 남자가 나처럼 멍청하고 볼품없는 여자를 사랑해 줄 수 있을까.

"선 같은 거 보는 게 아니었는데."

멍하니 버스에서 내려 휘청휘청 걸으며 나는 자조적으로 중얼거렸다. 돌이켜 봐야 아무 소용이 없다는 걸 알면서도 후회 어린 말을 기어이 토해 놓고는 결국 '내 다시는 선을 보나 봐라.' 하는 쓸데없는 다짐도 했다. 오늘따라 유독 일진이 사납더니 마무리도 이렇게 거창하게 할 줄 누가 알았나.

"오랜만에 결혼하자는 소리도 다 듣고……."

"언니!"

"어?"

느릿느릿 골목을 걸어 올라가는데 등 뒤에서 갑자기 미주가 툭 튀어나왔다. 이제 학교에서 돌아오는 건지 아직 교복 차림에 가방을 멘 채였다. 근데 언제부터 따라오고 있었던 거지? 동생이 따라오고 있는데도 모르고 있었다는 사실에 새삼 놀라며 나는 조금 부산스럽게 뒤를 돌아보았다.

"이, 이제 오니?"

"뭐? 우리 같은 버스 탔잖아?"

"어, 그랬나? 난 너 못 봤는데?"

"창밖만 바라보고 있었으니까 그렇지. 나 처음부터 언니 옆에 계속 서 있었어. 근데 무슨 생각을 하는지 불러도 한 번도 안 돌아보더라."

내, 내가 그랬나?

나는 조금 당황했다. 바로 옆에 동생이 있는데도 알아채지 못할 만큼 완전히 넋을 빼놓고 있었다는 사실이 새삼 충격적으로 다가왔다. 그리고 뒤늦게 연상되는 스스로의 웃긴 모습들 덕분에 갑작스럽게 엄청 쪽팔려지기도 했다. 그러니까 멍하게 앉아 비 맞은 중처럼 혼자 중얼거리는 걸 다른 사람들도 다 봤다는 소리가 아닌가 말이다. 우워어어. 너무 창피해서 가슴이 무너지다 못해 장까지 꼬이려고 한다.

"나 진짜 왜 이러지?"

정말로 더위를 먹었나 싶어 슬며시 뺨을 꼬집어 보았다. 적어도 피부는 정상인지 죽어라 아프기만 했다.

"언니, 저녁으로 나 냉면 좀 해 주라."

기묘하게 발랄한 목소리로 미주가 떠들었다.

그러고 보니 요즘 내내 날카롭고 우울해했었는데 오늘은 이상하리만치 유쾌해 보였다. 혼자 끌어안고 있던 묵은 고민이라도 덜어 냈는지 어딘지 모르게 후련해 보이기도 하고.

"밤참으로는 떡볶이 해 먹자. 낼 학교 안 가는 날이니까 나 오늘은 만화책 보다가 늦게 잘 거야."

"뭐어? 고3 학생이 만화책을 보다가 자겠다고? 미쳤어?"

"미치기는. 보충도 다 끝났고 이제 본격적인 방학이잖아. 좀 놀아도 돼."

"그렇다고 손 놓고 마냥 놀 거야? 만화책이고 뭐고 공부나 해. 학원도 다녀. 그리고 지난번 기말고사 성적도 안 좋던데 여기서 더 떨어지면 어쩌려고 그렇게 태평한 소리를 해? 그러다 국립대 못 들어가면 어쩌려고?"

1년에 천만 원이나 한다는 사립대학의 학비를 떠올리며 나는 부르르 치를 떨었다.

만에 하나라도, 말이 씨가 되어서 저 철딱서니 없는 동생이 정말로 학비 비싼 사립대로 가야만 하는 상황이 닥쳐온다면 그땐 어떻게 해야 하나. 더 이상은 대출을 받을 수도 없고 땅을 팔아 남동생을 의대에 보낸 덕분에 더는 팔아 치울 땅도 없는 형편인데 그 많은 학비는 어떻게 마련하면 좋을까. 상상만으로도 앞으로 닥쳐올 고난의 시기가 벌써부터 두려워지기 시작했다.

"정말 만화책이나 보고 있을 때가 아니야. 미주야, 언니를 위해서라도 너는 꼭 국립대 가야 돼."

정신줄을 놓을 만큼 꿍꿍대던 남자 문제가 순식간에 저만치로 밀려났다. 나는 거의 애원하듯 말했다.

"뉴스 보니까 사립대랑은 학비가 거의 두 배나 차이가 날 것 같더라. 자취하려면 방도 따로 구해야 할 텐데 정말 그 돈을 다 어떻게……."

"걱정하지 마. 나 대학 안 가."

"뭐?"

"대학, 안 간다고. 오늘 담임이랑 진로 상담했는데 안 간다고 말씀드렸어. 대학 안 간다고 큰일이 나는 것도 아니고 난 별로 가고 싶은 생각도 없었거든. 그러니까 걱정하지 마."

애써 밝은 목소리로 떠들며 동생이 히죽 웃었다.

그러더니 학교 졸업하자마자 언니처럼 마을금고에 취직할까, 아니면 친구 아버지가 하시는 건설 회사 사무실로 갈까 고민하는 시늉도 한다. 그사이 눈가는 벌써 벌겋게 물들어가고 있는데 아닌 척, 괜찮은 척. 그 모습을 보는 순간 가슴속에서 무언가가 툭 떨어져 내리는 듯한 섬뜩한 감각이 느껴졌다.

이거였나 보다.

안 그러던 애가 요즘 들어 계속 신경을 곤두세우고 유독 까칠하게 군다 싶더니 바로 이런 고민을 하고 있었던 거다. 갑작스럽게 알게 된 사실 앞에서 나는 그만 망연자실하고 말았다. 막내는 혼자서 비명을 지르고 있는데 그런 것도 몰라주고 미준이 등록금 마련할 생각만 하고 있었던 스스로가 너무 미웠다.

"니가, 니가 왜 대학을 안 가?"

무참한 기분에 사로잡혀 버럭 소리쳤다.

"미준이는 더 비싼 의대까지 갔는데 니가 왜 대학을 안 가? 그까짓 등록금 못 댈까 봐 그래?"

"……."

"누가 너더러 그런 고민이나 하고 있으랬어? 니가 왜 그런 걱정을 해! 그런 쓸데없는 생각만 하느라 공부도 내팽개쳐 놓은 거지? 그래서 성적도 떨어지고?"

"그런 거 아냐."

"아니면? 아니면 왜 대학엘 안 가겠다는 건데?"

"……언니 때문에."

"뭐? 그건 또 무슨 소리야?"

내가 혹시 지나가는 말로라도 대학 가지 말라는 소리를 한 적이 있었나? 설마 그럴 리가!

이건 또 무슨 말도 안 되는 소리인가 싶어 잽싸게 다그치자 미주는 울먹이며 거의 기어 들어가는 목소리로 조심스럽게 속내를 털어놓았다.

"언니, 이제 서른이잖아. 서른이나 되었는데 번번이 우리 때문에 시집도 못 가고 낼모레 환갑 맞는 아줌마처럼 살고 있잖아. 언제까지 그렇게 살 건데? 나까지 대학 가면 언니는 늙어 죽을 때까지 빚만 갚으면서 살아야 돼. 오빠가 의사 되니까 괜찮을 거라고? 의사는 뭐 다 떼돈 버는 줄 알아?"

"누, 누가 그렇대? 미준이가 떼돈 안 벌어도 괜찮아. 올핸 사과 농사가 잘되어서 좋은 값을 받을 수 있을 테니까. 빚 갚는 건 금방 갚을 수 있어."

"칫, 농사지어 봐야 아줌마들 품삯 주고 나면 남는 것도 얼마 없으면서……."

제법 날카로운 지적에 슬그머니 입을 다물었다.

틀린 말이 아니었다. 사과 값은 자꾸 떨어지는데 인건비는 오르기만 해서 요즘엔 하루 종일 사과를 따서 팔아도 품삯 치르기가 빠듯할 때가 많았다. 그마저도 사람을 구하기가 하늘의 별을 따는 것만큼이나 어려워지고 있는 터라 수확기가 되면 일손을 확보하기 위해 이웃 간에 전쟁 아닌 전쟁을 치르기도 한다. 그런 일은 올해도 마찬가지일 것이었다.

"그래도 대학은 가."

어림없다는 듯 단호하게 소리쳤다.

"걱정해 주는 건 고마운데 니가 나처럼 살면 난 더 화가 날 것 같아. 그러니까 쓸데없는 생각 말고 넌 공부나 해. 집안 걱정은 공부 끝까지 다하고 나서 해도 늦지 않아. 누가 애늙은이 아니랄까 봐 쪼그만 게 별걱정을 다하고 있어."

"요샌 좋은 대학 나와도 취직 못하던데."

"못하긴 왜 못해? 니가 좋은 대학 나와 봤어? 안 나와 봤으면 말을 말아. 입 다물고 얼른 들어가."

시무룩한 얼굴로 끝까지 구시렁대는 막내의 등을 떠밀며 나는 힘겹게 집 안으로 들어섰다. 그러곤 더 복잡해진 마음을 안으로 꽁꽁 감추어 둔 채 평상시처럼 묵묵히 집안일을 찾아 했다. 그만하고 자라는 아버지의 말도 한쪽 귀로 흘리고 저녁 늦게까지 미루어 둔 청소에 오래된 싱크대까지 박박 닦아 놓고 주말에나 할까 했던 빨래도 모조리 꺼내 손으로 직접 빨아 댔다.

그렇게라도 하지 않으면 가슴이 그대로 뻥 터져 버릴 것만 같았다. 언제가 좋으냐고 묻던 그 남자의 목소리가 악마의 속삭임처럼 귓전에서 다시 맴돌 때마다 무작정 따라나서고 싶은 마음이 들까 봐 무섭기도 했다. 그런 결혼을 해서라도 이 답답한 현실에서 도망치고 싶어질까 봐.

'늙어 죽을 때까지 빚만 갚으면서 살아야 돼.'

정말로 그렇게 늙어 가게 될 일이 두려워서.

"괜찮아, 난 괜찮아."

가슴을 치듯 빨래를 퍽퍽 쳐 대는 동안 눈에서도 어느새 굵은 눈물이 뚝뚝 떨어져 내리고 있었다. 어떻게 해야 하는지, 어떻게 해야 이 현실에서 벗어날 수 있는지 누가 좀 가르쳐 주었으면 좋겠다.

"……숙아! 미숙아!"

곤히 잠들었던 몸이 갑자기 거칠게 흔들렸다.

"미숙아, 얼른 일어나 봐라!"

"아부지?"

나는 간신히 눈을 뜨고 시계부터 찾았다.

2시 23분. 밤새 뒤척이다 자정이 훌쩍 넘어서야 잠든 참이라 혹시 늦잠을 자고 있는 것을 아버지가 깨운 것은 아닌지 걱정부터 했는데 다행히 날이 밝으려면 아직 먼 새벽이었다. 부스스 몸을 일으키며 눈으로 아버지를 찾았다. 무슨 일인지 아버지는 창백하게 질린 얼굴로 방 밖에서 발을 동동 구르고 있었다. 갑자기 더럭 겁이 났다.

"무, 무슨 일이에요, 아부지? 어디 편찮으세요?"

"그런 게 아녀! 비가 온단 말이다. 시방 엄청 쏟아지고 있다니께. 얼른 밭에 가 봐야겄어."

"네? 비요?"

쾅!

비라는 소리를 알아듣기가 무섭게 머리 위에서 사나운 천둥이 울었다. 그리고 숨을 한 번 들이쉬기도 전에 다시 주변을 하얗게 백열시키는 번개가 쳤다. 비가 오고 있었다.

"사, 사과. 우리 사과!"

튕겨지듯 벌떡 일어나 마루로 뛰쳐나갔다.

아닌 게 아니라 유리문 너머에서 천둥 번개를 동반한 미친 비바람이 세상을 온통 할퀴기라도 할 것처럼 매섭게 몰아치고 있었다. 장대 같은 굵은 빗줄기가 바람에 꺾여 거의 옆으로 누운 듯이 보였다. 마당 한쪽에 쌓아 놓았던 박스들이 흠뻑 젖은 채 사방으로 흩어져 날아다니고 아버지가 밭에 갈 때마다 끌고 나서는 작은 오토바이는 누가 걷어찬 것마냥 빗속에 길게 자빠져 있었다. 그 미친 광란의 현장을 나는 그저 멍하니 바라보고 있을 수밖에 없었다.

이럴 수는 없는 일이었다.

일기예보에서도 비 온다는 소리는 없었는데 어떻게 이렇게 갑자기 뒤통수를 친단 말인가. 다리에서 힘이 풀렸다. 눈앞의 현실이 차마 믿어지지가 않아 거의 무너지듯 그 자리에 주저앉고 말았다. 올핸 사과가 유독 좋다고 했었다. 그래서 사과를 희망 삼아 없던 힘이라도 짜낼 수 있었는데 이젠 그런 희망마저도 모조리 날아가 버리려고 한다.

"사과가, 사과가……."

거센 비바람을 맞은 사과가 힘없이 뚝뚝 떨어져 내리고 있는 모습이 마치 환영처럼 눈앞에서 어른거리고 있었다. 사과가 떨어질 때마다 후두둑후두둑 소리를 내면서 희망도 떨어진다. 이제 거의 다 익어 가고 있었는데, 딸 날이 얼마 남지 않았는데……. 차마 더 보지 못하고 나는 그만 눈을 감고 말았다.

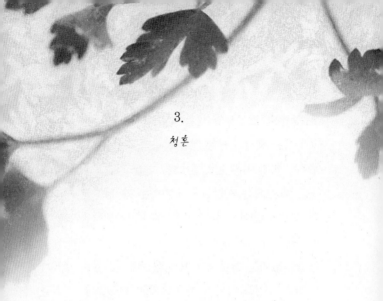

3.
청혼

나는 돈도 없고 재산도 없어요. 늙고 괴팍한 삼촌에게 의지하고 있어요. 아직 청혼할 수는 없지만 내 마음만은 알아줘요.

—Becoming Jane(2007) 中—

열여덟 살이 되던 해에 엄마가 돌아가셨다.

예고도 없이 어느 날 갑자기 쓰러져 한 달간 이런저런 병원을 전전하다가 종합병원 응급실에서 병명도 모른 채 죽었다. 아무런 준비도 안 된 상태에서 그렇게 졸지에 엄마를 떠나보냈을 때 나는 그날로 세상이 끝장나 버리는 건 줄만 알았었다. 그래서 앞으로 더 살아가야 한다는 생각은 물론이고 당장 먹고살기 위해 무언가를 해야 한다는 간단한 생각조차도 할 수가 없었다.

며칠 동안을 먹지도 자지도 못하고 그저 멍하니 울면서 장례를 치러 내는 동안 나는 하늘이 무너지는 슬픔에 휩쓸려 내가 아는 세상의 모든 것들도 나와 똑같은 슬픔을 공유하고 있다는 착각에 빠지고 말았다. 하늘도 슬프고 땅도 슬프고 나를 아는 모든 사람들도 슬퍼하는 게 당연한 거라고 믿었다. 그런데 엄마를 묻고 산을 내려오던 그날은 유난히도 하늘이 높고 날씨가 좋은 게 아닌가.

우리 엄마는 차디찬 땅에 묻혔는데 사람들은 날씨가 좋다고 단풍 구경을 나와 하하호호 웃고 떠들었다. 너희들의 슬픔 따위는 모른다는 듯 세상은 뭐 하나 달라진 것도 없이 여전히 잘만 굴러가고 있었고 옆집에서는 며느리가 손자를 낳았다고 잔치를 벌였으며 아직 눈물도 채 마르지 않은 시간에 나는 은행으로부터 대출이자를 내라는 연락을 받았다. 그 전화 한 통에 툭 건드리기만 해도 주르륵 쏟아지던 눈물이 순식간에 말라붙었다.

그때 나는 깨달았다.

하늘이 무너지는 슬픔보다, 당장 엄마 없이 살아가야 하는 시간들보다 은행 대출이자가 더 무섭다는 사실을. 슬프다고 내야 할 돈을 안 내거나 해야 할 일을 하지 않을 수는 없었다. 그래도 될 만큼 호락호락한 세상이 아니었다. 나는 당장 원래의 내 몫에다 엄마 몫까지 더한 일을 하지 않으면 안 되었다. 그 '먹고사는' 일 덕분에 그전까지 나를 통째로 쥐고 흔들어 대던 슬픔은 언제 그랬냐는 듯 말끔하게 잊혀졌다.

하늘이 깨끗하게 개인 아침이었다.

미쳐 날뛰었던 간밤의 일 따윈 모른다는 듯 쨍하니 맑은 하늘엔 흔한 구름 한 점도 없었다. 나는 늘 하던 대로 밥을 하고 아버지와 막내를 먼저 챙긴 다음 출근 준비를 했다. 비 맞아 떨어진 사과를 아버지가 몇 포대나 주워다 놓은 것도 모른 척하고 꾸역꾸역 밥을 먹었다. 늘 같은 시간에 오는 버스를 타기 위해 부랴부랴 집을 나선 것도 여느 날들과 똑같았다.

그냥 그렇게 또 같은 하루가 시작되려는 순간이었다.

'이건 꿈인가?'

골목을 벗어나기가 무섭게 길 한복판에 우뚝 서 있는 기다란 그림자를 발견한 순간, 그 새벽 무렵부터 현실에서 저만큼 도피해 있던 정신이 무서운 속도로 놀라 깨어났다. 그리고 딱 그만큼 더 비참해지려는 찰나 허공을 격하고 그와 시선이 마주쳤다.

'언제가 좋겠습니까?'

담담하게 울리던 그의 목소리가 머리통 속에서 다시 살아나 빙빙 맴돌고 있었다.

왜 하필이면 지금!

맷돌을 올려놓은 듯 가슴이 통째로 묵직하게 내려앉았다. 질끈 눈이 감겼다. 그 꼴을 겪었는데, 희망도 사라졌는데 그럼에도 불구하고 그가 반가워서 심장은 또 뛴다.

아프다.

꿈을 꾸는 사람처럼 나는 느릿느릿 걸어가 그와 마주 섰다.

담담한 그의 시선이 내 동선을 따라 천천히 움직이는 것이 느껴졌다. 어제의 그 말을 다시 하러 온 것일까. 그렇다면 아직은 내게 기회가 있다는 뜻일까. 내 대답에 따라 결과가 달라질 수 있다는 생각을 하는 것만으로도 머리가 온통 뜨거워지고 가슴속에선 태풍이 불었다.

울지도 못하고 긴 밤을 뜬눈으로 지새우다 한 푼이라도 벌어야 한다는 생각에 무거운 몸을 이끌고 간신히 기어 나온 길이었다. 멀쩡해 보이지만 사실은 몸도 마음도 이미 무너지기 일보 직전인 상태였다. 전쟁 같았던 지난밤의 일 따윈 모른다는 듯 지나치게 맑은 아침 공기와 TV 속에서 속 편하게 웃고 떠드는 사람들, 그리고 아무렇지 않은 척 출근 준비를 하고 있는 스스로에게 분노마저 느낄 지경이었다. 그렇게 최악인데, 도망칠 수만 있다면 얼마든지 그러고 싶을 만큼 엉망인 내 앞에 이 남자는 왜 다시 나타난 것인가.

무서웠다.

새벽 내내 미친 듯이 몰아치는 비바람을 보며 내가 수도 없이 상상했던 것처럼 그가 다시 청혼을 해 올까 봐. 그리하여 정말로 도망치고 싶은 마음을 스스로도 제어할 수 없는 상황이 닥쳐온다면…… 생각만으로도 스스로가 비열하게 느껴져 나는 참담한 표정으로 남몰래 아랫입술을 깨물었다.

"어떻게……. 여, 여긴 어쩐 일이세요? 아직 이른 아침인데."

당장이라도 쏟아질 것만 같은 눈물을 간신히 삼키며 나는 고개를 들고 마치 아무 일도 없었다는 듯 물었다.

"혹시 저 기다리신 거예요?"

"……."

"저한테 더 남은 용건이 있으세요?"

덜덜 떨리는 눈을 힘겹게 들어 올리자 예정처럼 다시 눈이 마주쳤다. 순간 흔들림 하나 없는 강직한 시선이 날아와 시야를 단번에 장악해 버렸다. 저도 모르게 흡 들이켠 숨이 그대로 폐 안에 고여 들었다. 가슴에서 희미하게 통증이 일어났다.

"생각, 해 보았습니까?"

어제 내가 한 말 따윈 아무 소용이 없다고 말하듯 그가 다시 물었다. 이건 중요한 일이니까 당신은 정말로 진지하게 생각을 했어야 한다. 목숨이 걸린 일은 아니지만 그만큼이나 소중한 인생이 걸려 있다. 설득하는 나직한 말소리가 들리는 것만 같았다. 이제 그만 진실을 털어놓으라며 깊은 물처럼 차분하게 가라앉은 시선이 나를 옴짝달싹 못하게 휘감은 채 대답을 재촉하고 있었다.

간밤에 몰아치던 비바람이 가슴으로 옮겨 왔나.

디디고 선 땅엔 물기 한 점 없는데 심장은 태풍을 맞은 듯 쏴아쏴아 쏟아지는 비바람 속에서 갈대처럼 이리저리 흔들렸다. 마음도 흔들리고 몸도 흔들린다. 악마의 속삭임이 이런 것일까. 그의 존재는 생각보다 더 큰 유혹으로 다가왔다. 이 사람이 내민 손을 잡아라. 이대로 따라간다 해도 아무도 너를 욕하지 않을 것이다. 너는 이제까지 할 만큼 했으니까.

'나 대학 안 가.'

할 만큼 했다는 생각을 하기가 무섭게 울먹이는 미주의 목소리가 귓가에서 요동을 쳤다. 순간, 정신이 화들짝 놀라 깨어났다. 내가 지금 무슨 생각을 하고 있었던 거지?

미숙아, 미숙아.

제발 이러지 말자. 힘들다고 눈을 돌리지 마. 네가 없으면 안 되는 거 알잖아. 엄마는 너를 믿고 눈을 감았을 건데 어쩌라고. 더구나 너는 이 남자를 사랑하는 게 아니야. 사랑하지도, 사랑받지 못할 거라는 것도 알고 있잖아. 미숙아, 미숙아.

"⋯⋯못해요."

툭 터진 말끝에서 희미하게 울음이 묻어 나왔다.

온 힘을 다해 참은 보람도 없이 흔들림은 그렇게 쉽게 드러나 버렸다. 갑자기 죽음 같은 피로가 몰려왔다. 아닌 척할수 없을 만큼, 더 이상은 감출 수 없을 만큼 나는 지쳐 있었다. 밤새 꾹꾹 눌러 담아 놓은 뜨거운 덩어리가 명치끝에서 아프게 맴도는 걸 느끼며 힘없이 털어놓았다.

사과가 많이 떨어졌어요. 희망도 떨어졌어요. 이제 결혼은 꿈도 꿀 수 없게 되었어요. 어쩌면 나는 평생 빚만 갚으면서 살아야 할지도 몰라요.

"죄송해요. 제가, 제가 아직 형편이 안 돼요."

"……."

"처, 처음부터 그럴 여유가 없었는데 제대로 말씀을 못 드렸어요. 죄송합니다. 살림이 워낙 빠듯해서 아직은 결혼을 생각할 처지가 못 돼요. 공연한 걸음을 하셨어요."

이런 것도 거짓말이 되는 것일까.

애초에 결혼할 처지도 못 되면서 선을 봤다는 사실이 뒤늦게 수치심을 몰고 왔다. 그를 우롱했다. 기만이다. 생각하고 보니 너무 뻔뻔한 짓을 한 것만 같아 죄책감이 다 몰려왔다. 내 양심이 어느새 똥보다 더 더러워져 있었다. 그런 주제에 제 처지를 들고 미련 없이 돌아서는 남자들만 원망하고 있었다니. 어쩔 수 없이 고개가 푹 꺾였다.

"그것뿐입니까?"

    참담하게 일그러진 심정을 아는지 모르는지 그가 여전히 힘 있고 부드러운 목소리로 물었다.

    "결혼을 미루는 이유."

    "네? 아, 네."

    "그렇군요. 알았습니다."

    별로 고민해 보는 기색도 없이 그가 단번에 고개를 끄덕였다. 그러곤 그게 용건의 전부였다고 말하듯 무심히 돌아섰다. 죽을 정도는 아니지만 그래도 창자를 쥐어짜며 힘겹게 털어놓은 이야기가 순식간에 대수롭지 않은 일 정도로 치부되어 그의 발밑에서 뒹굴고 있었다. 또다시 아무도 알아주지 않는 수치심의 무게가 불쑥 올라갔다.

    "출근하는 길입니까?"

    뜻밖의 반응으로 정신이 소리 없이 공황으로 빠져들려는 순간 그가 고개만 돌리고 불쑥 물었다. 약간의 거리를 두고 도로가에 서 있던 육중한 차의 뒷문이 어느새 활짝 열려 있었다. 그 주인처럼 무시무시하게 때깔이 좋은 차였다. 양재호의 그 고추장 물을 바른 듯 시뻘건 차가 어디서 한참 굴러먹다 온 고물차 정도로 여겨지려고 한다.

    "나가는 길이라면 같이 가시죠."

    "아, 아니에요. 괜찮아요. 저는 그냥 버스 타면……."

    한껏 당황한 채 고개를 마구 저어 재끼자 그는 또 뭐라 단정 지을 수 없는 모호한 눈빛으로 나를 바라보았다. 그러더니 곧 가볍게 고개를 끄덕여 보이곤 차에 올라 훌쩍 떠나 버렸다. 그는 떠나고 나는 남겨졌다. 갑자기 쓸쓸함이 몰려왔다. 이제 보니 생긴 대로 인정머리도 없는 사람이다. 아무리 차였어도 그렇지 한 번 더 권할 법도 한데 그대로 돌아설 건 또 뭔가. 사람 무안하게시리.

미친 밤 내내 고민에 떨게 만든 사람치고는 참 쉽게도 돌아서는 바람에 온몸을 잠식해 오던 죄책감도 헛바람 빠지듯 한순간에 쑥 빠져나가 버렸다. 간밤에도 멀쩡했던 속이 갈퀴로 긁어낸 것처럼 홧홧하고 휑했다. 아아, 나는 무슨 기대를 하고 있었던 것일까.

"이러는 게 당연하지. 그럼 저 근엄한 남자가 눈물을 뿌리며 다리라도 잡아 줄 줄 알았냐?"

드라마에서는 잘도 그러더라마는.

현실은 어디까지나 냉정했다. 나는 선본 남자한테 차이고 질질 울면서 혼자 도로가에 서서 한 시간에 달랑 한 대뿐인 버스를 기다리는 처량한 신세가 되어 있었다. 아버지가 주워 다 놓은 사과 포대를 보고서도 나오지 않던 눈물이 지금은 왜 이리 잘만 쏟아지는지 그쳐 보려고 애를 쓰는데도 쉬이 멈추어지지 않았다. 처량 맞은 내 신세를 위로하려 함인지 버스는 평소보다 10분이나 늦게 도착했다.

"미안하다."

"뭐가 미안한데요?"

"그냥······."

"그냥 아침부터 굶주린 하이에나처럼 제 주위를 빙빙 돌면서 노골적으로 눈치 살핀 거요? 아니면 도움을 빙자해서 제가 해야 될 일을 자꾸만 빼앗아 간 걸 말씀하시는 거예요?"

무슨 속셈인지 어서 털어놓으시오.

대체 무슨 엉뚱한 생각을 하고 있기에 손님과 함께 커피 마시면서 놀 시간에 내 주변을 어슬렁거리는 것이며, 전혀 관심도 두지 않았던 내 일까지 빼앗아 가서 열심히 보는 척을 하였던 것이란 말입니까. 혹시 오늘 해가 서쪽에서 뜨기라도 하였소?

잠이 모자라 조금은 멍한 눈으로 나는 박 부장의 빛나는 대머리를 슬쩍 노려보았다. 만 원짜리 한 장에도 손을 덜덜 떠는 사람이 어쩐 일로 점심밥을 다 산다고 내 손목을 잡았을까나. 설마 내가 이대로 저 김치 공장 양 사장의 며느리가 될지도 모른다는 생각을 해서 미리 잘 보여 놓으려고 하는 수작질은 아니겠지? 정말 그런 거라면 그저 안타깝다고밖에 말할 수 없다. 다시 말하지만, 나는 때려죽여도 양재호와 연애를 할 생각 같은 건 없으니까 말이다.

그런데 미안하다고 했다.

사정없이 멍한 와중에도 그 부분이 심하게 마음에 걸렸다.

박 부장은 왜 갑자기 내게 미안한 마음이 든 것일까? 나는 눈을 조금 더 크게 떠 보았다. 이제 박 부장의 얼굴엔 거의 죄책감까지 떠올라 있었다. 역시 이상하다. 보면 볼수록 점점 더 이상하다는 생각만 들었다. 밤에 잠을 잘 자기라도 했으면 조금 더 침착하게 상황을 둘러보았을 테지만 지금은 그럴 만한 정신머리가 아니었다.

"부장님."

"응? 응? 왜, 왜?"

"도대체 뭔데요? 왜 미안해요? 분명히 무슨 일이 있는 거죠?"

"으응. 그, 그게에……."

"왜요, 올핸 휴가비 없대요? 아니면 불경기라고 휴가 자체가 없어진 거예요? 그런 거라면 괜찮아요. 어차피 갈 데도 없고 쉬어도 쉬는 게 아니니까."

"휴우, 그런 거 아니야."

"아니면 뭔데요?"

"……젠장, 하여간에 너는 왜 그렇게 운이 없는 거냐? 왜 하필 거기서 폭발을 해. 아니, 말이라도 고분고분하게 했으면 좀 좋았어? 아무리 기분이 나빴어도 그렇지 어른한테 그게 무슨 말버릇이야. 나 담배 피운다고 발작하는 건 정이고 애교지만 그건 그냥 간덩이가 부은 짓이었잖아, 인마!"

잠이 확 깼다.

정신이 없는 와중에도 박 부장이 잘라먹은 앞뒤 상황을 대강 짐작해 낸 머리가 더할 수 없이 선명하게 깨어나면서 그보다 더 선명하게 '두고 보자' 던 양 사장의 얼굴이 스쳐 지나갔다. 불길한 예감과 함께 팔뚝 위로 오싹한 소름이 돋아났다. 그리고 끝으로 미안하다는 박 부장의 말까지.

그럴 리는 없어야 하지만 설마, 설마…….

"저, 저 잘리는 거예요?"

꿈인지 생시인지, 넋이라도 있고 없고.

반쯤 혼이 빠진 채 묻자 박 부장은 울상이 되어서는 또 '미안하다.' 는 말만 했다.

"어제 저녁에 우리 이사장이랑 만나서 술 한잔했다는 소리는 들었는데 그렇게 금방 결정이 날 줄은 나도 몰랐다. 얼마나 넣어 준다고 했기에. 나이 먹을 만큼 먹은 양반이 그게 무슨 짓인지. 이사장도 그래. 아무리 돈이 좋아도 그렇지 네 사정 뻔히 알면서 어떻게 그렇게 인정머리가 없는지 원."

"당장 그만두래요?"

"그게…… 내일부터 안 나와도 된다고."

아, 정말 잘리는 거구나.

멍하니 앉아서 나는 그런 생각을 하고 있었다. 분명히 하늘이 무너지는 일에 비유할 수 있을 만큼 절망스러운 통보였음에도 불구하고 어떻게 된 일인지 나는 전혀 아무렇지도 않았다. 뺨을 억세게 얻어맞고도 아픔을 느끼지 못하는 사람처럼 대수롭지 않은 얼굴로 먹던 밥을 마저 입에 넣고 꼭꼭 씹었을 뿐이다. 이 순간 내 머릿속을 점령한 단어는 오직 하나뿐이었다. 계약직. 생각해 보니 나는 10년을 계약직 직원으로 일했다.

"그냥 양 사장 찾아가서 싹싹 빌어 보는 건 어떠냐? 아들이 그렇게 목을 매고 있는데 설마하니 아주 죽게 버려두기야 할까."

"……."

"아니면 그 아들을 직접 만나서 설득을 해 보던지. 원래 바람둥이들이 한 번 맘 잡으면 그래도 잘 산다고 하는데."

웃기는 소리다.

맘을 잡을 사람 같았으면 애초에 바람둥이도 안 되었을 것이다. 설령 그렇게 맘을 잡는다고 해도 이때까지 대체 얼마나 많은 여자를 울렸을 것이며 그 맘을 언제까지 유지해 줄지 누가 안다는 건가. 1년? 2년?

양재호의 입버릇처럼 내가 바로 그가 찾던 운명의 그녀라서, 나를 위해 바르고 성실한 남자로 변할 거라는 생각은 아예 하지 않는 게 신상에 이로운 일이었다. 바람둥이들에겐 세상의 모든 여자가 죄다 운명의 그녀라서 석 달 정도 지나면 그에게 다시 새로운 운명의 그녀가 나타날 테니까. 모르긴 해도 그와 사귀는 그 순간부터 내겐 그의 과거뿐만 아니라 미래와도 싸워야 하는 고난의 행군이 시작될 것이었다.

물론, 그전에 도무지 그에게로 향하지 않는 마음과 치열하게 싸우는 게 먼저겠지만.

"퇴직금은요?"

마지막 밥풀까지 싹싹 긁어 먹고 숟가락을 탁 내려놓으며 나는 조금 퉁명스럽게 물었다.

"내쫓으면서 설마 퇴직금도 안 주시는 건 아니죠?"

"크흠, 그래도 양심은 있는지 퇴직금이랑 위로금이랑 해서 넉넉히 챙겨 주라고 하더라. 중간 정산한 거는 빼고."

"그럼 오늘은 그만 퇴근할게요."

"응?"

"왜요? 마감 시간까지 있을까요?"

"아, 아니, 아니야. 그래, 날도 더운데 일찍 들어가. 그러는 게 좋겠지, 아무래도?"

흠칫 놀라던 것도 잠시 박 부장은 이제 거의 측은한 빛까지 머금고 나를 바라보았다. 애가 충격을 받아서 잠깐 맛까지 갔구나 생각하니 그저 불쌍하고 안 되어 보였나 보다. 하지만 그런 걱정과 달리 내 정신은 스스로도 의심할 만큼 지극히 말짱하고 건조했다. 왜 이렇게 멀쩡한 건지 나조차도 의아해서 때때로 당혹스러울 정도였다. 억울하게 잘려서 빚을 갚을 길도, 당장 먹고살 일도 막막해진 마당인데 물먹는 하마를 끼고 있는 듯 흔한 눈물 한 방울이 안 나온다는 것은 그 자체만으로도 너무 이상하지 않나.

'아침에 미리 울고 와서 그런가? 왜 이렇게 담담하지?'

혹시 이런 일이 있을 줄 알고 아침에 눈물은 그렇게 하염없이 줄줄 쏟아졌던 것이었던가. 한 송이 국화꽃을 피우기 위해 봄부터 소쩍새는 그렇게 울어 대는 것이고 윤미숙은 이렇게 억울하게 잘리기 위해 10년을 뼈 빠지게 일한 것인가 보다.

"어떻게 하면 좋아. 언니, 이제 어떻게 해."

"뭐 어떻게든 되겠지. 걱정 마. 설마하니 산 입에 거미줄이야 치겠니."

엉엉 우는 자연의 어깨를 툭툭 두드리며 나는 긴 한숨을 내쉬었다. 십 년이나 일했는데 내 소지품이라는 것은 고작 쇼핑백 하나를 채울 정도밖에 되지 않았다. 일한 시간에 비해 정리는 왜 그렇게 간단하고 짧게 끝나던지 완전히 잘린 게 아니라 그냥 휴가를 가는 것처럼 가뿐한 기분까지 들었다.

내 분위기가 그렇게도 담담하자 남은 사람들의 분위기도 덩달아 지극히 조용하고 차분했다. 뒤늦게 사실을 알고 금고가 떠나가라 우는 자연이 오히려 더 어색해 보일 정도였다. 그 희미한 물기마저도 점심시간이 끝남과 동시에 미적미적 사라졌다. 떠날 사람은 떠나고 남을 사람은 남아서 일을 계속해야 했으니까.

모두의 관심 밖으로 밀려난 채 나는 쇼핑백을 끌어안고 혼자 느릿느릿 객장 밖으로 나섰다.

한여름의 뜨거운 열기가 뱃속까지 훅 밀고 들어왔다. 그 끈적한 열기에 침습당하고서야 나는 마침내 내가 완전히 직장을 잃었다는 사실을 실감했다. 누군가의 애절한 눈물보다 시원한 에어컨 바람 아래에서 밀려났다는 사실이 더 생생한 현실로 다가왔던 것이다.

"뭐 이런 게 다 있어."

뒤늦게 참을 수 없는 억울함이 찾아왔다.

10년이나 일했는데, 그 치사하고 더럽다는 정도 10년 치나 쌓였을 건데 그거 다 무시할 만큼 돈이 그리도 좋았단 말인가. 김중배의 다이아반지가 더 좋았던 심순애처럼? 치사하고 더러운 이사장. 그보다 백배는 더 나쁜 양 사장. 그리고 양재호!

"고자가 되어서 노총각으로 혼자 늙어 죽을 인간 같으니."

밉다 밉다 노래를 했더니 정말로 미운 짓을 해 버렸다, 그 인간들이. 좀스럽고 치사하고 똥보다 더 더러운 양심을 가진 놈들. 이 억울함을 어떻게 갚아 줘야 하나. 너무 억울하고 화가 나서 순식간에 눈가가 뜨겁게 달아올랐다. 아까 전엔 안 나오던 눈물이 이제는 나올 것도 같았다. 그런데 하필이면 날씨가 너무 좋은 거다.

하늘엔 구름 한 점 없고 한낮의 태양은 지나치게 밝고 뜨거운데다 장날이라고 한꺼번에 쏟아져 나온 사람들이 끊임없이 곁을 스쳐 가는 중이라 혼자서는 차마 눈물콧물 뿌리며 통곡할 자신이 없어졌다. 뉘 집 딸내미인지 벌써 눈치들을 챘을 건데 이 시장 한복판에서 그러고 울었다가는 반나절도 지나기 전에 시장을 한 바퀴 돌아온 이상한 소문이 아버지 귀에까지 들어갈 거였다.

그 집 딸내미 실연당했나? 아니면 집에 우환이라도? 하는 소리가 며칠 동안 가족 모두를 괴롭히겠지. 그러다가 사흘쯤 지나면 '직장에서 잘렸다네.' 라는 사실이 동네에 파다하게 퍼져 나갈 것이다. 그에 나는 이를 악물고 눈물을 꾹꾹 삼켜 버렸다.

'나는 괜찮다, 나는 괜찮다.' 속으로 끊임없이 중얼거리 며 정말로 쇼핑을 끝내고 돌아가는 사람처럼 품에 안고 있 던 쇼핑백을 자연스럽게 늘어뜨려 보았다. 그래, 휴가를 받 았다고 생각하자. 걱정도 잠시 내려놓자. 코 묻은 퇴직금 덕 분에 미준이 등록금 마련할 걱정 같은 건 이제 안 해도 되지 않나. 작정하고 한 일주일쯤 팽팽 놀아 보자. 내가 논다고 세상이 어찌 되지 않는 것처럼 가족이 밥을 굶지도 않을 것 이다.

사실, 가족 모두가 손을 놓고 놀아도 시골에서는 굶을 수 가 없다.

믿어지지 않겠지만 의도하지 않고서는 굶는 일 자체가 쉽 지 않은 편이었다. 앞집 뒷집 옆집 등등에서 때마다 밭에서 뜯어 왔다며 배추 몇 포기, 파 한 단, 처음 따 낸 과일 등을 나누어 주곤 하니까. 그것만 받아먹어도 배가 부를 지경인데 집 마당에 내가 만들어 놓은 텃밭에서도 먹을 것들이 항상 쑥쑥 자라고 있다. 그러니 순수하게 배를 채울 의도라면 먹을 걱정은 하지 않아도 좋았다.

더구나 지금은 일손이 한창 부족한 여름이 아닌가.

사방에 먹을 것이 넘치고 노는 손은 어딜 가나 환영받는 계절이다. 정 뭣하면 여름 한철 동안 동네일을 거들면 된다. 농사일이 다 끝나면 새로 직장을 찾아보고. 거기까지 생각하자 마음이 약간 놓이면서 철심을 넣은 듯 뻣뻣하게 경직되어 있던 어깨가 슬며시 내려앉았다.

'비 좀 맞았으면 어때. 그래도 사과는 사과인데. 사과 팔면 어찌 됐든 은행 이자는 갚을 수 있겠지. 힘내자, 미숙아. 백수가 되었다고 인생이 끝나는 것도 아니잖아.'

들들 끓던 감정이 사르르 가라앉았다.

언제 씩씩거렸었냐는 듯 나는 어느새 처음처럼 차분해져 있었다. 일단 차분해지고 나자 10년이나 일한 직장에서 막 잘렸음에도 불구하고 허무함, 그 이상의 감흥은 찾아오지 않았다. 하늘이 무너진다거나 세상이 곧 망해 먹을 것 같은 암담한 느낌이 찾아올 줄 알았는데 쫓겨난 충격은 약간의 분노와 억울함의 뒷맛만 남긴 채 의외로 싱겁고 밋밋하게 지나갔다. 입안이 조금 썼다.

그 텁텁한 맛을 잊기 위해 눈을 질끈 감은 채 뜨거운 공기를 깊게 들이마시고 길게 내쉬었다. 한낮의 후끈 달아오른 공기가 기다렸다는 듯 빠르게 폐를 점령하고 있었다. 목구멍이 뜨겁고 간질거린다. 그래, 따질 게 수천 가지지만 착한 내가 참는다. 똥이 어디 무서워서 피한다더냐.

억울한 거, 짜증 나는 거, 이거저거 죄다 뭉뚱그려 입에 넣고 꿀떡 삼키듯 다시 깊게 심호흡을 했다. 입술을 꼭 깨물고 쓰디쓴 마른침을 삼켰다. 그리고 긴 한숨과 함께 눈을 떴다.

"미숙 씨!"

하늘도 무심하시지.

아침부터 심난하더니 왜 이렇게 일진이 비비 꼬이지? 양재호가 불 맞은 멧돼지처럼 나를 향해 돌진해 오고 있었다. 간신히 가라앉으려던 분노가 다시 울컥 치솟았다. 따지고 보면 내가 양 사장에게 대든 것도, 서른 나이에 직장에서 쫓겨나 백수가 된 것도 다 저놈 때문이 아닌가.

"어, 어떻게…… 별일 없었어요?"

남들 일할 시간에 쇼핑백 하나 덜렁 들고 밖에 나와 서 있는 내 꼴을 집요한 시선으로 샅샅이 훑어 내리며 놈이 물었다.

"우리 집 영감이 미숙 씨 찾아갔었다는 소리를 오늘 들었지 뭡니까? 아, 진짜 쪽팔리게 왜 여기까지 찾아와서……. 무슨 소리를 하고 갔어요? 아니, 무슨 소리를 했든지 간에 신경 쓰지 말아요. 다시는 그런 짓 못하게 내가 다 알아서…….”

“다 알아서 뭐? 다시 취직이라도 시켜 주시게?”

“취직?”

내 말투에 담긴 지독한 증오를 느꼈는지 놈이 한 대 맞은 듯 멍한 얼굴로 나를 바라보았다. 그러다 곧 의미를 깨닫고는 희미하게 얼굴을 붉힌다. 그래, 민망할 것이다. 민망하지 않으면 네가 사람이 아니지. 방문 걸어 닫고 굶었다는 사람답지 않게 개기름이 잘잘 흐르는 그 얼굴을 나는 거의 찢어죽일 듯이 노려보았다. 이성 따윈 이미 저 너머로 사라진 지 오래였다. 햇빛이 너무 눈부셔서 어차피 눈에 뵈는 것도 없었다. 이판사판이다. 오냐, 너 잘 만났다. 죽어 봐라, 이 자식아.

퍽!

“이 나쁜 자식아! 네가 뭔데 내 앞에 나타나 태클을 걸어. 이 바퀴벌레 같은 자식, 너 때문에 되는 일이 없어. 죽어, 죽어, 죽어어!”

“어어…… 아! 아얏!”

아프냐? 나는 안 아프다.

하필 내 손엔 묵직한 쇼핑백이 들려 있었다. 책상 서랍을 뒤집어 그냥 싹 쓸어 담은 거라 솔직히 뭐가 들어 있는지도 잘 모르지만 무겁기는 더럽게 무거웠다. 그것을 미친 듯이 휘두르며 나는 대낮에 개를 패듯 사정없이 양재호를 패기 시작했다.

별다른 말도 없이 다짜고짜 때리는 나를 피해 양재호는 벌게진 얼굴로 뭐라 소리치며 요리조리 도망치고 있었다. 어찌나 날렵하게 도망치는지 다섯 번에 한 번도 제대로 안 맞았다. 덕분에 완전히 화가 나 버린 나는 투포환 선수처럼 쇼핑백을 빙빙 돌려 그에게 홱 집어 던지고 말았다. 쇼핑백이 우아한 곡선을 그리며 날아가 그의 뒤통수를 딱 후려……쳤으면 좋았겠지만 아슬아슬한 차이로 머리 위를 그냥 스쳐 지나가는 것이 보였다.

파삭!

멀찍이도 날아간 쇼핑백이 그가 끌고 나온 시뻘건 차의 유리를 들이받고 속에 든 것을 와르르 쏟아 냈다. 순간, 머릿속에서 찬바람이 불었다. 고삐 풀린 망아지처럼 사방팔방으로 날뛰던 정신이 한순간에 급속 냉동되면서 바짝 굳어 버리는 것이 느껴졌다. 차 앞 유리에 큼직한 거미줄이 생겨나 있었다. 그것을 보기가 무섭게 저놈의 차가 얼마나 비싼 물건인지에 대해 구구절절 자랑을 늘어놓던 양재호의 말이 혜성처럼 뇌리를 스쳐 갔다.

'망했다!'

아아아…… 윤미숙, 이 망할 년!

발광을 하더라도 되도록 돈이 안 들어가게 적당히 패고 빠지지는 못할망정 한 큐에 퇴직금을 다 털어먹을 수도 있는 대형 사고를 치고 말았어야. 머리 꼭대기에서부터 피가 빠지는 기분을 만끽하며 나는 멍하니 차를 바라보았다. 뭐라 주절거리며 요리조리 피해 다니던 양재호도 그 순간만큼은 흠칫 굳어서 덜덜 떨리는 손으로 제 차를 가리키고 있었다.

하늘 너머로 날개 달린 지폐가 열을 지어 날아가는 환상이 보였다.

나는 왜 그간 저 뚜껑 열리는 차의 국적과 가격을 무시했었던가. 차가 비싸면 유리창 값도 비싼 게 인지상정이고 양재호의 이마빡에 금이 가서 치료비를 대 주는 것보다 저 차의 유리 한 장 가격이 더 나온다는 건 거의 기정사실이나 다름없어 보였다. 그렇다면 이제 나는 패 죽이고 싶은 놈의 차에 유리창을 새로 달아 주기 위해 코 묻은 퇴직금까지 날려 먹게 되는 것일까?

눈물이 앞을 가린다.

아까까지만 해도 쪽팔려서 넋 놓고 울지는 못할 것 같다고 생각했었는데 지금은 그런 것과는 아무 상관없이 눈물콧물이 막 쏟아지려고 들었다. 양재호가 일그러진 얼굴로 나를 돌아보았다. 입술을 우물거리며 뭐라 말할 듯 말 듯 망설이는 폼이 마치 똥을 쌀까 말까 고민하는 것처럼 보였다. 근데 이 자식이!

"무, 물어 주면 될 거 아니에요!"

"돼, 됐습니다. 고작 몇 푼 가지고 치사하게 굴고 싶은 생각은 없으니까. 크흠, 그런데 저거……."

희미하게 얼굴을 붉히며 그가 다시 차를 가리켰다. 아니, 정확하게는 보닛(bonnet) 위에 와르르 쏟아진 내 쇼핑백과 물건들 쪽이다. 휴지도 아닌 허연 것들이 뚜껑 없는 차 안팎으로 여기저기 날아다니고 있었다. 언젠가 쓰다 남아서 서랍 속에 처박아 놓았던 생리대였다. 그냥 버리려다 아깝다고 쇼핑백 구석에 꾹꾹 챙겨 넣은 일이 그제야 슬슬 떠올랐다.

대체 이게 웬 자연재해지?

부들부들 손이 떨렸다. 낯선 남자로부터 당신 엉덩이에 피가 묻었다는 사실을 전해 듣는다고 해도 이보다 더 민망할까. 너무 쪽팔려서 이젠 눈물을 넘어 피가 줄줄 흘러내릴 것만 같았다.

"우어어어!"

나는 차를 향해 허겁지겁 달려들어 미친 듯이 쇼핑백을 챙긴 다음 뒤돌아서 뛰기 시작했다. 한참을 뛰다 말고 다시 돌아와 양재호의 정강이를 모질게 걷어찬 건 기껏 죽어라 뛰어간 방향이 하필이면 집으로 가는 길과 정반대였는데 그 사실을 그가 가르쳐 주지 않았기 때문이라고 생각해 줬으면 좋겠다.

"으흐흐흐…… 나쁜 새끼들."

아직도 해가 쨍쨍한 대낮.

집 나온 금순이처럼 두 팔로 쇼핑백을 끌어안고 앉아 나는 엉엉 울었다. 진정 파란만장한 나날들이었다. 사과는 다 떨어지고, 선본 남자한테 차이고, 나이 서른에 백수가 되었다. 어제부터 오늘까지 내 인생에서 일어날 수 있는 최악의 사건 사고란 사고는 다 일어나 버린 것만 같았다. 하나씩만 닥쳐와도 힘들었을 건데 재난이 닥쳐도 어떻게 이렇게 한꺼번에 우르르 닥쳐올 수가 있는 건가.

꿈에라도 이런 상황을 원해 본 적은 없었는데.

대체 어디에서부터 잘못된 것일까? 어디에서부터 꼬이기 시작했기에 도저히 손을 쓸 수 없는 지경으로까지 몰리게 되었을까. 언제나 힘들긴 했지만 그래도 어찌어찌 애를 쓰면 근근이 막을 수 있을 만큼은 되는 생활이었다. 어려운 일이 생겨도 스스로 알아서 극복해 온 자력갱생의 나날. 크게 좋은 일이 없는 것처럼 크게 나쁜 일도 없는 평온한 인생이 바로 윤미숙의 인생이었는데 갑자기 홍수를 만난 것처럼 하루아침에 모든 상황이 달라져 버렸다.

어디에서부터 잘못된 것일까.

두 손으로 머리통을 움켜쥐고 맹렬하게 생각했지만 떠오르는 것은 아무것도 없었다. 아무리 기억을 더듬어도 떠오르는 것은 '언제가 좋겠습니까?' 하고 묻던 그 남자의 미끈한 얼굴뿐이었다. 그렇게 차이고도 정신을 못 차리고 자꾸만 되새김질을 하는 것을 보면 내가 정말 제정신이 아닌 건 맞는 것 같았다.

"훌쩍, 힘들어서 그런 거야."

까만 비닐봉지를 뒤적여 나는 푸른색 소주병을 하나 꺼내
들었다.

시간은 아직 한낮이고 나는 갈 곳이 없었다. 그래서 누군
가에게 들킬세라 동네 구멍가게에서 소주 한 병 사 들고 몰
래 엄마를 찾아온 것이다. 찌질하게 철철 울면서 종이컵에
소주를 따라 엄마 무덤 앞에 한 잔 놓아주고 나도 한 잔 가득
따라 앞에 놓았다.

"심하게 청승맞아 보이지? 그래도 엄마가 이해해 주라. 내
가 요즘 사는 게 사는 게 아니야."

변변한 안주도 없이 소주잔을 기울이며 나는 그렇게 운을
뗐다.

오늘은 정말 죽을 만큼 힘든데 아무리 둘러보고 생각해
보아도 만날 사람도, 갈 곳도 없었다. 그래서 공연히 시장만
이리저리 방황하다가 결국 여기까지 오고 말았다. 누군들
푹푹 찌는 한여름의 대낮에 산을 오르고 싶었을까. 혼자 무
덤을 마주하고 앉고 싶었을 리는 더더욱 없었다. 그런데도
여기까지 온 건 말했다시피 갈 곳이 없어서. 그리고…… 이
렇게 죽을 만큼 힘든 날이면 유독 엄마가 보고 싶어지는 바
람에.

"그렇게 누워 있으니까 좋아? 편해?"

마치 시비 걸 듯 툭 내뱉고 나니 그동안 속에 꾹꾹 쌓아 놓기만 했던 것들이 토사물처럼 울컥 올라왔다. 힘들어도 힘들다는 말을 못하고 그저 괜찮다, 괜찮다 자위하며 버텨 왔는데 그 짓도 이 자리에서만큼은 하고 싶지 않았다. 견딜 수 없을 지경이 되면 습관처럼 언제나 이 자리를 찾아 버릇했기에 더욱 그러했다.

"왜 그렇게 빨리 갔대. 조금만 더 살고 가지. 정애 할머니는 팔순 나이에도 금방 나온 망아지처럼 쌩쌩하시던데 엄마는 뭐가 그리 급해서……."

아니, 아니다.

이 말을 하고 싶었던 게 아니다. 엄마라고 뭐 겨우 고것만 살다가 가고 싶었을까. 이러니저러니 해도 영 뜻대로 되지 않는 게 사람 팔자라고 했다. 살아생전 호강도 한 번 못해 보고 죽어라 고생만 하다가 간 것도 엄마의 뜻은 아니었다. 그러니 빈말로라도 그것을 탓해서는 안 되었다. 그렇게 보낼 수밖에 없었던 일을 미안해한다면 모를까.

그럼에도 불구하고 이런 투정 아닌 투정이 나도 모르게 새어 나오는 것은 역시 지금의 상황이 녹록치 않은 것이기 때문일 게다. 여기서 더 나빠질 일이 없다는 생각이 들 정도로 나는 벼랑 끝까지 내몰려 있었다. 완벽하게 지쳐 버렸다.

"엄마, 나 힘들어."

툭.

빈 소주잔 안으로 눈물이 떨어졌다.

술과 똑같은 채도를 가졌으나 맛은 아주 다를 게 분명한 액체가 한 방울, 두 방울 차곡차곡 고여 들었다. 이런 후줄근한 모습은 보여 주고 싶지 않았는데 이 자리에 올 때마다 나는 왜 항상 이렇게 구겨져서 혼자 울게 되는지 모르겠다. 추하다.

"힘들어 죽겠어. 진짜 힘들어서 죽을 것 같아."

어찌할 새도 없이 눈물콧물이 한꺼번에 줄줄 흘러내렸다.

더럽다는 생각도 못하고 질질 흘리면서 나는 펑펑 울어 버리고 말았다. 눈물을 따라 속에 한가득 쌓여 있던 감정들도 같이 와르르 쏟아졌다.

"매일매일 뼈가 휘도록 일을 했어. 금고 일에, 집안일에, 밭일까지 했는데 직장에서는 잘리고, 집안 살림은 날마다 어려워지기만 하고, 사과는 다 떨어졌어. 나 이제 어떻게 하면 좋아?"

이제 어떻게 살아야 하나.

살아생전 엄마가 그랬듯이 힘겹게 매일매일을 살아 내면서 죽는 그날까지 빚을 갚아야 하는 것일까. 좋은 일도 없고, 나쁜 일도 없는 무미건조한 인생을 살면서 사랑하지도, 사랑받지도 못하는 그저 그런 여자로 늙어 가야 한단 말인가. 어째서 윤미숙의 인생은 이다지도 재미가 없는 건가.

"더 이상은 못 버틸 것만 같아. 날마다 돌덩이가 하나씩 어깨에 얹어지는 기분이야. 엄마도 이랬어? 나만큼 힘들었어? 그래서 그렇게 빨리 가 버린 거야? 미안해, 그렇게 가게 해서 미안해. 그런데 나도 힘들어. 나 힘들어, 엄마."

제발 나 좀 도와줘. 이 자리에서 도망치지 않게, 계속 더 살아갈 수 있게. 엄마 딸이 이대로 허무하게 쓰러지지 않도록 조금만 더 도와주면 안 돼?

"엄마, 나 좀 살려 줘. 응?"

철철 우는 것으로 모자라 나는 두 손을 모으고 싹싹 빌면서 거의 애원을 하기 시작했다.

그렇게 하면 죽은 엄마가 다시 벌떡 일어나 내 대신 그 모든 일들을 떠맡아 주거나, 아니면 앞으로 힘든 일 따위 절대 일어나지 않게 해 주기라도 할 것처럼. 하지만 역시 그런 기적 같은 일이 일어나지 않을 거라는 걸 나는 안다. 그동안에도 이런 찌질한 짓을 한 게 한두 번이 아닌데 그런 것치고는 나아진 것이 아무것도 없었으니까 말이다.

그래도 때만 되면 습관처럼 나는 또 엄마를 찾고 세상이 떠나가라 울어 젖히는 일을 멈출 수가 없었다. 이렇게라도 하지 않으면 정말로 미쳐 버릴 것만 같으니까.

"으흐흑, 엄마아……."

—어머나 어머나 이러지 마세요. 여자의 마음은 갈대랍니다.

"으흑, 또 뭘 이러지 말라고 지랄이야."

감정의 홍수에 빠져 철철 울면서도 가방을 열심히 뒤적여 핸드폰을 찾아 들었다.

"여보…… 흐끅…… 세요."

미처 끊지 못한 울음소리가 처량 맞게 따라붙었다.

—미숙 씨!

양재호다.

—아까는 미처 얘기를 못했는데……. 크흠, 아무 걱정 마십시오. 이제부터는 제가 다 책임지겠습니다.

아니, 뭘?

—미숙 씨, 이제부터는 절대로 힘들게 하지 않겠습니다.

그러니까 어떻게?

—결혼합시다!

뚝!

더 들어 볼 것도 없다.

나는 가차 없이 전화를 끊어 버렸다. 그러곤 아예 전원까지 꺼 버렸다. 하여간에 미친놈. 내가 지금 이 마당에 너랑 결혼을 하게 생겼더냐. 쥐도 구석에 몰리면 고양이를 문다는데 이렇게까지 몰아 놓고 결혼이라는 말을 꺼내는 것을 보면 놈은 나한테 물리고 싶어 안달이 난 게다. 그래, 나도 할 수만 있다면 그놈을 딱 물어 죽이고 싶은 심정이었다. 다만, 요즘 스트레스 때문에 잇몸이 안 좋아서 참을 뿐이다.

"훌쩍. 어디까지 했더라?"

조금 머쓱한 기분으로 나는 머리를 긁적였다.

양재호 때문에 잠시 동안 성질을 왈칵 부렸더니 한참 절정에 이르렀던 감정선이 뚝 끊겨 버렸다. 술도 깼는지 정신이 지나치게 말짱했다. 늦은 오후의 환한 햇살과 누가 지나가도 이상하지 않을 확 뚫린 언덕배기가 그제야 눈에 들어왔다. 그 사실을 인식하는 순간 아직도 흥건한 눈가가 왠지 민망하고 앞에 놓인 소주잔이 조금 쓸쓸해졌다. 아, 나도 참 대낮부터 왜 이렇게 청승맞은 짓을 했지. 이유 없이 창피한 건 둘째 치고 허탈하고 뒤끝이 더러운 게 마치 곡하다가 방귀를 뀐 기분마저 들었다.

"그렇다고 밤에 찾아와 울 순 없잖아."

다시 말하지만 나는 소심한 a형 여자이다.

당연히 겁도 많다. 저녁 8시면 인적이 끊어지고 가로등 불빛도 귀한 이 시골에서 내가 무슨 용빼는 재주로 산을 오를 수 있을까. 엄마 무덤이라고 해도 밤에는 무섭단 말이다. 심지어 엄마가 막 돌아가셨을 때는 너무 무서워서 반년이나 안방에 들어가지 못했었다.

"생각해 보니까 나 진짜 불효막심한 딸년이다, 그치?"

이런 나를 믿고 엄마는 어떻게 그렇게 쉽게 눈을 감았을까.

서른이 다 된 나이에도 이렇게 별 볼 일이 없는데 고작 열

여덟 살짜리를 어떻게 믿고 아버지에 동생들까지 부탁했는가
말이다. 그 생각을 하자 다시 속이 울컥거렸다.

"내가 이렇게 사는 건 다 엄마 때문이야."

암, 엄마 때문이고말고.

열여덟 살 어린것의 발목에 족쇄를 채운 사람이니까. 아
니, 아니다. 죽은 사람은 죄가 없다. 엄마 없는 하늘 아래 덜
렁 남겨진 가족들을 족쇄로 만들어 스스로의 발목에 채운 내
탓일 뿐이다.

"다 내 탓이야. 직장에서 잘린 것도, 살림이 어려워지기만
하는 것도, 사과가 떨어진 것도 다 내가 바보라서 그런 거야.
그 남자한테 차인 것도 내가 덜떨어져서 그런 거잖아. 나도
알아. 다 아는데 그냥 막 억울해."

세상이 나를 따돌리고 있는 것만 같아서.

멍하니 앉아 나는 한참이나 주저리주저리 떠들어 댔다. 무
슨 말을 하고 있는지, 그게 말이나 되는 말인지 구분도 못하
고 그냥 입에서 나오는 대로 떠들다 보니 나는 목이 쉬어 터
질 정도로 꽤나 많은 말을 하게 되었다. 그리고 어느새 해가
서쪽으로 훌쩍 넘어가고 있었다.

주위가 어둑어둑해졌다는 사실을 깨닫기가 무섭게 나는
주섬주섬 자리를 정리하기 시작했다. 말했다시피, 나는 겁이
많은 여자고 어두워진 산속은 내가 제일 무서워하는 것들 중
하나였다. 물론, 무서워하는 것들이 한두 가지가 아닌 건 당

연하다.

"밝은 날 또 올게."

쓸데없는 인사까지 건네고 나는 부랴부랴 산을 내려왔다.

떠들면서 몇 잔 마신 술 때문에 혹시 얼굴이 붉어지진 않았는지 입에서 냄새는 안 나는지 무지하게 신경 쓰면서. 설마, 잠깐 흘린 눈물 때문에 눈이 퉁퉁 부은 건 아니겠지.

"껌이라도 하나 살걸."

대문 앞까지 숨도 안 쉬고 걸어와서야 나는 조금 후회했다.

옷차림도 괜찮고 얼굴도 괜찮아 보이는데 아무래도 입에는 냄새가 조금 남은 것 같았다. 아버지는 젊은 여자가 술 마시고 다니는 걸 그리 탐탁지 않게 여기시는 양반이었다. 낮술을 마시고 들어왔다는 사실을 들키면 잔소리 꽤나 들을 것이다.

조심스럽게 입 냄새를 맡아 보고 시간을 확인했다.

얼추 퇴근 시간에 맞췄으니 사실을 털어놓을 때까지 아버지는 직장에서의 일 따윈 까맣게 모르실 거였다. 언제쯤 고백을 해야 덜 충격적일지 한동안 고민을 해 볼 일이었다.

"저 왔어요."

기운이 쏙 빠진 몰골로 출근했던 일이 마음에 걸려 나는 유난히 씩씩한 척 대문을 활짝 열고 안으로 들어섰다.

"언니!"

"어, 왜 나와 있어?"

무슨 일인지 막내가 마당에서 서성이고 있다가 반색을 하며 달려왔다.

"왜 이제 와? 멀쩡한 핸드폰은 또 왜 꺼 놓고."

"전화했었어?"

"응. 열 번도 넘게 했단 말이야. 금고에서는 일찍 나갔다고 그러고 핸드폰은 계속 꺼져 있고 아주 미치는 줄 알았어."

"왜? 무슨 일 있어? 무슨 일인데?"

아무래도 심상치 않은 기색에 덜컥 겁부터 났다.

또 무슨 일이 터진 건가. 사건인가 사고인가. 무슨 일이기에 평소엔 하루 한 번이나 할까 말까 하던 전화를 열 번도 넘게 해 댄 것이냐. 설마, 설마 그새 양 사장네 일이며, 내가 직장에서 잘린 일이 아버지 귀에 들어가기라도 한 것일까? 간이 콩알만 하게 쪼그라드는 느낌에 치를 떨며 나는 사색이 되어 물었다.

"무, 무슨 일이야? 아버지 어디 편찮으시대? 아님 농협에서 전화 왔어?"

"그런 거 아니야. 아니, 그것보다 빨리 들어가 봐."

"왜?"

"손님이 와 있어."

"손님? 손님, 누구?"

"나도 몰라. 처음 보는 사람인데 분위기가 무시무시해. 암튼, 빨리 가 봐. 언니 찾아왔대. 벌써 몇 시간이나 꼼짝도 않고 기다리고 있단 말이야. 난 무서워서 도망 나왔는데 아버지는 어쩔 수 없이 마주 앉아 계셔. 빨리 가서 어떻게 좀 해 봐."

갑자기 손님이라니. 설마 양 사장이? 아니면 양재호?

무시무시한 분위기라는 말에 나는 반사적으로 삿대질을 일삼던 양 사장의 떡두꺼비 같은 얼굴을 떠올리고 말았다. 뜬금없이 '결혼하자.'고 소리치던 양재호의 말도 나란히 뇌리를 스쳐 갔다. 이런 상상은 하고 싶지 않지만 설마, 설마 두 부자가 같이 찾아와서 아예 판을 펴고 앉아 있는 것이란 말인가! 나를 백수로 만든 것으로도 모자라서 또 무슨 짓을 하려고.

"이런 처 죽일!"

눈에서 불길이 솟았다.

뱃속도 뜨끈한 것이 소주 한 병을 다 비우면서도 느끼지 못했던 취기가 그제야 왈칵 치미는 느낌이었다.

"다 죽었어!"

두 주먹 불끈 쥐고 나는 분연히 몸을 날렸다.

내 오늘 두 양씨를 절단 내고 개 값을 물어 주고야 말겠다. 그 더러운 차의 유리창 값도 까짓 얼마든지 메워 주지. 정 안 되면 내 손으로 유리를 사다가 직접 끼워 주마.

"아부지!"

좁은 마당을 멧돼지처럼 두다다 가로질러 나는 날듯이 방으로 뛰어 들어갔다. 과연 방 안의 분위기는 심상치 않았다. 밖의 날씨는 후덥지근한데 안은 얼음굴이나 되는 듯 지나치게 고요하고 냉랭한 기운이 흘렀다. 뿐만 아니라 그사이 무슨 소리를 들었는지 아버지의 얼굴이 전에 없이 긴장으로 바짝 굳어 있었다.

"미, 미숙아!"

양 사장한테 몹쓸 소리라도 들으셨는가?

까맣고 홀쭉한 얼굴이 하얗게 보일 만큼 창백해져 있는 것을 발견하자마자 괜히 울컥해 더 볼 것도 없이 고함을 내지르려는 순간이었다. 뜻밖의 얼굴이 눈에 들어왔다.

"어?"

"윤미숙 씨."

그 남자였다. 고은후.

"여, 여긴 어쩐 일이세요?"

인정사정없이 휘둘러 보리라 작심했던 쇼핑백을 높이 쳐든 채 나는 멍청히 그를 돌아보았다. 아침에 보았던 그 차림 그대로 그는 서너 평이 될까 말까 한 좁은 방 한가운데에 자리를 잡고 아버지와 마주 앉아 있었다. 언제나 그렇듯 담담하다 못해 무심한 표정이었다. 문득, 그의 한쪽 눈썹이 그림처럼 슥 올라가는 것이 보였다.

"던질 겁니까?"

"네? 아, 아니요!"

천부당만부당하십니다. 제가 무슨 힘이 있다고 '고 선생님'께 그런 만행을 저지를 수 있겠습니까. 저 이래 봬도 간 사이즈가 거의 좁쌀만 한 여자입니다. 그런 끔찍한 짓은 절대로 할 수 없습니다. 믿어 주십시오.

쇼핑백을 도로 후다닥 끌어안고 나는 머리통이 떨어져라 고개를 저어 댔다. 실수로라도 저 남자를 쳤다가는 죄책감에 내가 먼저 심장마비를 일으킬지도 몰랐다. 그냥 보기만 해도 무서운데 저 얼굴에 생채기라도 내 봐라. 아무 이유 없이 그냥 죽고 싶어질 게 틀림없었다. 그나저나 대체 이 사람이 여긴 어떻게 와 있는 것일까. 누구 마음대로 들어와 앉아 있는 건가.

아침엔 집 앞이었고 지금은 우리 집 방 안이다.

동에 번쩍 서에 번쩍 한다더니 이 사람이 딱 그랬다. 홍길동도 아니면서 그는 나타날 때마다 번번이 나를 놀라게 만들고 있었다. 예고도 없이 예측할 수 없는 자리에 불쑥 나타나 때마다 나의 정신은 물론이고 심장에도 새로운 병을 하나씩 만들어 주는 것만 같았다.

"왜, 왜 서서 그러냐. 사람 목 아프게. 어여 앉아."

딸의 등장으로 조금 힘을 얻었는지 아버지가 조심스럽게 나를 잡아끌었다. 이왕이면 당신 옆으로 앉으라는 소리였다. 못 이긴 척 끌려가 무너지듯 바닥에 털썩 주저앉았다.

"크흠. 저, 저기 말이여……."

바닥에 궁둥이를 대기가 무섭게 아버지가 눈짓으로 코앞을 가리켰다. 오래된 누런 장판 위로 세 쌍의 눈동자가 모였다. '왜 그런 눈으로 바라보세요?'라고 떠들 것처럼 생긴 뽀얀 봉투가 아버지와 그 사이의 좁은 공간에 오도카니 놓여 있었다.

봉투 위로 슬쩍 삐져나온 것은 하얗다 못해 파랗게 보이는 수표 몇 장이었다. 아니, 웬 돈이지? 누가 봐도 우리 집 돈은 아닌 것처럼 생긴 것이 어째서 우리 집 방바닥에 놓여 있는 건가. 나는 더 멍청해져서 아버지를 향해 물었다.

"이게 뭐예요?"

"그, 그기 말이여……. 저 양반이 가져왔다."

"네?"

"아랫집 정애 할매 소개로 너랑 선본 사람이라고 허던디. 결혼해야 쓰겄다고. 사, 사실인겨?"

안 그래도 멍하던 정신이 갑자기 더 아득해졌다.

뭐라고 설명해야 하나. 어떻게 말해야 진실이 제대로 전달될까나. 정신이 미친 듯이 방황하기 시작했다. 정애 할매가 소개한 것도 맞고, 선을 본 것도 맞고, 청혼을 받은 것도 맞는데. 맞기는 한데…….

"겨, 결혼이요?"

나는 또 하염없이 멍청할 게 분명한 표정으로 그를 돌아보았다.

반듯한 자세로 앉은 그가 여전히 담담한 얼굴로 시선을 마주쳐 왔다. 오늘 아침에도 우리는 이렇게 서로를 똑바로 마주 본 적이 있었다. 그때 그는 '생각해 보았습니까?'라고 물었고, 그리고 나는…… 뭐라고 대답했더라? 아침의 참담한 기분이 빠르게 수면 위로 올라오려는 순간, 그의 눈동자가 희미하게 흔들리는 것이 보였다. 그리고 마치 거짓말처럼 그의 시선이 나를 비껴갔다.

"약소하지만 결혼 준비금으로 써 주십시오. 급한 마음에 당장 가지고 있는 것만 넣어 왔는데 부족하면 말씀하십시오. 더 준비하겠습니다."

"아니, 그, 그래도 이러는 것이 아닌데……."

"예의가 아닌 줄은 압니다만 모쪼록 저희 쪽의 사정을 헤아려 주셨으면 좋겠습니다. 제가 많이 급합니다, 아버님."

"나야 그 맘을 이해할 수 있지만서도."

그러면서 아버지는 슬그머니 나를 돌아보았다.

걱정 반 의심 반, 갑작스러운 이야기가 불러온 당혹스러움과 눈앞에 놓인 큰돈에 대한 유혹 희미한 두려움이 뒤섞인 탁한 눈동자가 갈등으로 가늘게 떨리고 있었다.

"근디, 둘이서 얘기는 다한 거여?"

"……."

돈을 뚫어져라 바라보고 있는 내게 아버지가 물었다.

"참말 그렇게 하기로 한 겨? 오늘 아침까지만 해도 아무 말이 없더니 정말 이 사람한티 시집을 가기로 맘을 먹었어?"

"아, 아부지 그게요……."

"혹시라도 내 생각할까 봐 말해 두는디, 아무 걱정할 것 없다. 니 동생들도 다 컸고 나도 이제는 살림 정도는 혼자서도 거뜬혀. 농사야 수확기만 아니면 혼자 슬슬해도 되는 것이고. 그러니 너만 좋으면 가도 되는 겨."

"아니에요, 아부지. 그런 말씀 마세요. 살림은 무슨. 아직 밥하는 법도 모르시잖아요. 농사일도 손이 얼마나 많이 가는데. 공연한 생각하지 마세요. 저 아직 시집 안 가……."

"안 가기는 왜 안 간다는 겨? 너도 이제 서른이다. 이렇게 마냥 붙어 있다고 다 좋다고 할 줄 아는 모양인데 그거 다 허튼 생각이여. 자식의 도리가 뭐여? 곁에서 봉양하는 게 다가 아니여. 부모 걱정해 주는 것보다 얼른 좋은 사람 만나 혼인해 주는 것이 효도라 이 말이지."

생각보다 강경한 어투에 나는 조금 놀라 아버지를 바라보았다.

평소엔 좋을 대로 하라며 거의 방치하시던 양반이 오늘은 왜 이렇게 적극적으로 뒤통수를 치시나. 설마 돈에 혹하신 건가? 배신감마저 느끼며 나는 입술을 잘근잘근 깨물었다.

"안 그래도 얼른 보내야지 생각했었어. 다만, 우리 집 살림이 넉넉지 않고 막둥이도 입시라고 저러고 있어서 말을 못한 겨. 근디, 이제라도 좋은 사람 만났으니 가야지."

"……."

"제대로 해 주는 것도 없이 몸만 덜렁 보내는 일이 나도 면구스럽긴 혀. 그 생각만 하면 내가 너한테 많이 미안하지. 그것 때문에 못 가겠다고 하는 거면 내가 할 말이 없다."

"그, 그런 거 아니에요, 아부지."

나는 이번에도 다급히 고개를 저었다. 그러나 반은 진실일 수밖에 없는 이야기에 속 깊은 곳에서는 당혹감을 느꼈는지 나도 모르게 얼굴이 화끈 달아올랐다. 이런 창피한 이야기를 꼭 이 사람이 앉아 있는 앞에서 하실 건 뭐람.

구겨진 채 한쪽으로 밀려난 이부자리와 오래되어 색이 바랜 벽지. 오늘따라 더 좁고 누추해 보이는 방 안의 모습이 공연히 눈에 밟혔다. 그는 그냥 가만히 앉아 있을 뿐인데 변변찮은 살림살이가 괜히 부끄러워져 나는 바닥에 코가 닿도록 고개를 숙이고 말았다. 그러게 왜 부르지도 않았는데 불쑥 찾아와 이런 일을 만드는 거냐 말이다. 원망 어린 시선이 힐긋 그에게로 향했다.

"다른 문제가 더 있는 겁니까?"

남의 속도 모르고 그가 조용한 목소리로 물었다.

"다른 사정이 있어 도움이 더 필요한 거라면……."

"필요 없어요, 그런 도움은. 이런 돈을 바란 것도 아니었어요. 아시잖아요."

"하지만 반드시 필요한 돈이기도 하죠. 오해하지 말아요. 다른 의도는 없었으니까. 서두르는 만큼 말 그대로 약간의 결혼 준비금이 필요할 거라고 생각했을 뿐입니다만."

"그러니까 전 아직 결혼을 할 형편이……."

신경질적으로 소리치려다 흠칫 입을 다물었다.

이런 식이라면 계속 같은 이야기가 반복될 수밖에 없다는 사실을 깨달은 것이다. 윤미숙은 돈이 없다. 나이 서른에 가진 거라곤 빚밖에 없는데 이젠 근근이 다니던 직장마저 잃었다. 막내의 말처럼 나의 미래는 죽을 때까지 빚만 갚으면서 살아야 하는 서글픈 인생에 지나지 않을지도 몰랐다. 하지만 서 푼짜리일망정 가슴속엔 아직 죽지 않은 자존심이 있고 옆에는 여전히 내 손길이 필요한 가족들이 있었다. 돈에 나를 팔 수는 없다. 그리고 내게 맡겨진 책임으로부터 도망치고 싶지도 않았다. 그것이 나의 의지였다.

"언제쯤이면 미숙 씨가 말하는 그 형편이란 것이 되겠습니까?"

"그, 그건……."

"수확이 끝나는 날입니까? 아니면 막내 동생의 입시가 끝나는 날? 그도 아니면 아버님이 혼자서 밥을 지어 드시게 되는 날일까요? 언제입니까?"

특유의 나직한 목소리가 느릿하게 이어졌다.

"형편이 되는 날을 정확히 일러 줄 수 있다면 기다릴 수도 있습니다만, 왠지 그런 날이 금방 찾아올 것 같지는 않군요. 얼마 지나지 않아 또 다른 '형편이 안 되는 이유'가 나타날지도 모르니까."

"제, 제가 공연한 고집을 부리고 있다는 뜻인가요?"

"아닙니다. 그냥…… 미숙 씨가 이 결혼을 받아들였으면 좋겠다는 말을 하고 싶었습니다."

"우린 만난 지 한 달도 안 되었어요!"

"그게 문제가 됩니까?"

너무나 태연한 대답에 다시 말문이 막혔다.

틀린 말은 아니었다. 결혼을 하는 데 만난 날짜 따위는 문제가 안 된다는 걸 나도 안다. 같이 일하던 언니 하나가 만난 지 한 달 만에 결혼해 직장을 떠나는 걸 보았으니까. 그럼에도 불구하고 나는 그의 말을 부정하고 싶은 강한 충동을 느꼈다.

'그거야 서로 좋아서 죽고 못 사는 사람들이나 하는 이야기지!'

목소리 톤 하나 안 바뀐 채 사정을 모르는 사람이 들으면 '절대로 옳게 들릴' 말만 하고 있는 그가 너무 얄미워서 미칠 것 같았다. 그리고 동시에 이런 비열한 '거래'를 제안하는 그에게 숨 막힐 듯한 실망감도 느꼈다. 내가 좋아서 하자고 나선 결혼이 아니라는 걸 안다. 할머니의 소원이든 뭐든 그는 처음부터 다른 생각을 하고 있었다는 것도. 그래서 더하고 싶지 않은 결혼이었다.

진짜 목적을 감춘 채 돈으로 사람을 사려는 그 덕분에 나는 이제 누구에게 말도 하지 못하고 존재의 비참함을 온몸으로 겪어야 했다. 다시 궁금증이 도졌다. 도대체 이 사람은 왜 나랑 결혼을 하려는 것일까? 왜 하필이면 나인가? 어디 남몰래 따로 쓸데라도 있나?

"아무래도 차분하게 좀 더 생각을 해 보는 것이 좋겠군요."

뭐라고 구분할 수 없는 모호한 눈빛으로 한동안 나를 가만히 바라보던 그가 마치 통보와도 같은 그 말을 끝으로 조용히 자리에서 일어섰다.

"내일 다시 오겠습니다."

"아니, 벌써 가게? 변변찮은 찬이지만 같이 저녁이라도 하고 가지."

"미루어 둔 일이 있습니다."

"그, 그래도 이렇게 보내면 안 되는데……."

그때까지 방바닥에 놓인 돈만 물끄러미 바라보고 있던 아버지가 덩달아 벌떡 일어서서는 러닝셔츠 바람으로 대문 앞까지 따라 나가 그를 배웅했다. 그 모습을 나는 꼼짝 않고 앉아 멍하니 바라보고 있었다. 이러고 있는 내 꼴이 우습고 그를 사위 후보도 아닌 상전 대하듯 하는 아버지의 모습에 그만 눈물이 날 것 같아서다.

"언니, 진짜 결혼하는 거야?"

내내 마당에서 맴을 돌던 막내가 슬그머니 마루로 올라앉으면서 고개만 들이밀고 물었다.

"그 무시무시한 사람이 좋아?"

"무시무시해?"

"응, 무시무시하게 잘생겼잖아. 표정이 별로 없어서 엄청 차 보이긴 하지만 그래도 멋있더라. 난 그렇게 포스 있게 생긴 사람은 첨 봤다니까. 암흑가의 젊은 보스 같아. 완전 쩔어."

글쎄, 쩌는지 어쩌는지는 잘 모르겠지만 한 가지만은 분명히 알겠다. 생긴 것만큼 성격도 아주 잔인한 사람이라는 것. 한 여자의 인생을 사겠다고 돈을 내밀 수 있을 정도로 그는 거침없이 못되어 처먹은 놈이었다. 양재호가 집적댈 때부터 눈치챘지만 내가 아무래도 다른 복은 물론이고 남자 복까지 형편없게 가지고 나왔나 보다.

"어? 우와아! 어, 언니!"

별생각 없이 방바닥에 놓인 돈 봉투를 집어 든 막내가 갑자기 눈이 휘둥그레져서는 나를 돌아보았다.

"이, 이거 봤어?"

"응."

"얼마인지도 봤어?"

"얼만데?"

나는 시큰둥하게 되물었다.

짧은 순간 허를 찔려서 잊었지만 어차피 내일 또 온다니 그때 돌려주면 그만인 돈이었다. 생각하고 자시고 할 것도 없이 나에겐 애초부터 그와 결혼할 이유가 없었다. 지금 쪼들리고 있다고 해서 희망까지 없는 것은 아니니까. 그 돈 몇 푼을 위해 어떤 목적을 가졌는지 알 수 없는 사람과 몸을 파는 것과 별로 다를 바 없는 결혼까지 할 생각은 추호도 없었다. 나는 이미 자존심을 지키기로 결심을 한 상태인 것이다.

"왜? 천만 원짜리 수표라도 넣었니?"

"아니. 더 커."

"뭐?"

반쯤 넋이 나간 얼굴로 침을 꼴깍꼴깍 삼키면서 막내가 봉투를 내밀었다.

"봐, 봐! 이거, 이거 진짜 돈 맞아?"

"얼만데 그래?"

손까지 떠는 걸 못 본 척하고 나는 무심히 봉투를 받아 들고 탈탈 털었다. 수표는 달랑 두 장뿐이었다. 그런데 액면가를 확인한 순간 나도 모르게 눈이 튀어나오고 말았다.

"억? 미, 미쳤어!"

당장 가지고 있는 것만 넣었다기에 한 일이천만 원쯤 가져왔나 보다 했었다. 그 돈도 나에겐 엄청 큰돈이라서 당장 눈앞에 그 돈이 있다면 고민을 좀 했을 텐데 이건 아예 차원이 다른 액수였다. 금고에서 일하는 나조차 처음 쥐어 보는 액수라서 거의 현실처럼 느껴지지 않을 정도다.

아버지가 봉투에서 좀처럼 눈을 못 뗀 이유가 바로 여기에 있었던 거다. 그 양반 평생에 이런 큰돈은 맹세코 처음이었을 테니까 말이다.

"이 많은 돈을 결혼 준비하라고 준 거야?"

아무래도 믿어지지 않는지 막내는 아직도 눈을 비비고 있었다.

"진짜 부자인가 보다. 이런 돈을 아무렇지도 않게 주고 가고."

"……."

"이 돈이 생길 줄 알았으면 오빠한테 학비 걱정하지 말라고 말해 줬을 텐데."

"뭐? 무슨 소리야? 미준이한테 전화 왔었어?"

"으응. 혹시 돈이 마련되었느냐고 묻기에 짜증 나서 모른다고 쏘아붙였거든."

"왜 그랬어? 나한테 연락을 하지. 그냥 다 되었다고 하지."

"그냥 속상해서. 그래도 오빠가 하숙비랑 생활비는 걱정하지 말라고 하더라. 아르바이트하고 있다고."

"걔는 공부할 시간도 모자란데 아르바이트는 왜 자꾸 하고 그런대. 몸도 약한 애가."

일하고 공부하느라 잠도 제대로 못 자고 먹는 것도 부실해서 볼 때마다 점점 더 마르기만 하는 남동생이 떠올라 억장이 무너졌다. 아버지랑 누나 고생시켜 가며 대학 갔다고 가뜩이나 고개를 못 드는 애라 더 그랬다. 오늘도 한참이나 애를 태워 가며 고민을 하다가 간신히 연락을 한 것일 텐데……

"근데 언니 진짜 결혼하는 거야?"

"왜, 했으면 좋겠니?"

"아니, 그런 게 아니라. 믿어지지가 않아서 그래. 언니가 시집을 갔으면 하고 바란 건 사실이지만 말 한 마디 없다가 갑자기 간다고 그러니까 어쩐지 이상하고 거짓말 같고. 저렇게 잘생긴 사람이랑 선을 봤다는 것도 신기하고. 현실 같지가 않아. 꼭 내가 꿈을 꾸고 있는 것 같아."

"꿈?"

"응. 그런 생각을 한 적이 있거든. 언니가 좋은 집으로 시집을 가고 오빠가 학교 졸업하고 그러면 나도 대학을 갈 수 있겠구나 하고……"

어린 마음에 고생하는 언니며 힘든 집안 살림을 생각하느라 말은 못하고 그저 그런 꿈을 꾸어 보았노라고 막내는 조그맣게 털어놓았다. 남들 다 가는 대학, 저는 돈이 없어 못갈까 봐 슬프기도 하고 창피하기도 해서 한동안은 세상을 다 산 것처럼 그렇게 우울한 몰골을 하고 다녔었다고 말이다.

그 말에 대학 안 간다며 혼자 울먹이던 모습이 떠올라 다시 가슴이 먹먹해졌다.

"미안해, 언니가 모자라서."

"모자라긴. 그런 말 아닌 거 알면서."

"응. 그래도 너 오빠한테는 너무한 거야. 이 돈이 아니라도 학비 정도는 다 마련했단 말이야."

"그랬어? 어떻게? 아직 보너스 나올 때도 아니잖아."

"그냥, 그냥 생겼어."

직장에서 잘렸다는 소리가 차마 나오지 않아 나는 대강 그렇게 둘러대고 말았다. 여기서 그런 소리까지 했다가는 정말로 절망해 버려서 대학 갈 생각을 깔끔하게 접어 버릴지도 모르니까.

"휴우, 이게 다 무슨 일인지 원."

대문 밖까지 나가 배웅을 마치고 온 아버지가 쓰러지듯 자리에 털썩 주저앉으면서 한숨처럼 중얼거렸다.

"꿈인가 생시인가. 어디서 저런 사람이 뚝 떨어진 거여. 야야, 참말 저 사람이랑 결혼 얘기를 한 거였어?"

"아니에요, 그런 거."

당연히 아니다. 나는 그냥 삼계탕 먹다가 날 잡아 오라는 통보만 받았을 뿐이다. 얼굴 두 번 보고, 다방 커피 두 번, 밥 두 번 먹은 결과가 결혼식이라서 나도 심하게 충격받은 상태였다.

"그럼 뭐여? 그런 얘기를 한 것이 아니면 이런 큰돈까지 들고 와서 날을 잡아 줍시오 하는 소리는 왜 하는데?"

"그러니까 그건 그 사람 생각이고요."

"그러면은 너는 아니라는 겨?"

"그게…… 아직 새, 생각 중이에요."

손에 쥔 돈 때문인지 아니면 간절한 눈빛으로 그걸 보고 있는 아버지와 막내 때문인지 생각과는 달리 고개가 쉬이 저어지지 않았다. 세상 다 끝난 얼굴로 한숨만 내쉬던 아버지도, 내내 기운 없어 보이던 막내도 지금은 모두 눈이 반짝반짝 빛나고 있었다. 여기서 아니라고 했다가는 둘 다 말도 못하게 실망해서 아침처럼 또 우울한 얼굴들을 하게 되면 어쩌나.

"그, 그런 소리를 하는 거 보니께 아주 맘이 없는 것도 아닌가벼. 그런 겨?"

"잘 모르겠어요. 너무 급하게 서두르는 것 같아서."

"아, 장손이라 그런 거지. 그리고 정애 할매 얘기를 들어 보니께 그 집 할매가 조금 편찮으시다고 하더라. 돌아가시기 전에 얼른 결혼해야 쓰겠지."

아, 그런 건가.

새로운 깨달음이 뒤통수를 후려쳤다. 처음 듣는 얘기였다. 할머님이 계시다는 소리만 들었지 그분이 편찮으시다는 이야기는 듣지 못했었다. 혼자 손자들을 키워 낸 할머님이 편찮으시다? 그렇다면 그 남자의 행동도 이해가 간다. 자의든 타의든 할머님을 위해 결혼할 필요가 있다고 생각했을 수도 있고 혹은 마지막으로 할머님의 소원 하나쯤은 들어주고 싶었을지도 몰랐다. 그래서 그 대단한 남자가 이 시골까지 내려와 선을 본 것이다.

아마도 그 남자의 목적은 '할머니에게 보여 주기 위한' 결혼 그 자체에 있었나 보다.

마음이 툭 가라앉았다. 약간의 실망과 안도가 빠르게 교차했다. 이러니저러니 해도 내가 좋아서 하자는 결혼이 아니라는 사실만은 변함이 없으니 실망스럽고 다른 특별한 꿍꿍이가 있는 것이 아니라니 마음이 조금 놓였다. 아하, 그런 것이었구나. 다른 누구라도 괜찮지만 이왕이면 할머니가 소개해 준 여자와 결혼하는 모습을 보여 주고 싶었던 것이구나. 생각할수록, 아니 보기와는 달리 그는 정말 대단한 효자였다.

"2억이나 들고 오고. 돈도 많은 효자네."

아무리 할머니에게 보여 주기 위해서라지만 결혼 한 번에 이 큰돈을 아무렇지 않게 내놓을 수 있는 그의 배짱이 조금 두려워졌다. 내놓은 돈이 큰 만큼 그가 나에게 바라는 일 또한 상당할 것만 같은 불길한 예감도 들었다.

"날을 잡으랴?"

"아, 아니에요, 아부지."

"그래도 어쨌거나 시집은 가야 할 것인데. 니 나이도 있고."

"좀 더 생각해 해 볼게요."

이미 결론이 빤히 보인다고 여겼는지 아버지가 슬쩍 운을 뗐다. 그 모습이 조금 서운해 나는 그냥 시선을 돌리고 말았다.

'아부지, 딸내미 마음이 어떤지부터 물어보시면 안 돼요?'

그 사람 할머님이 편찮으시다거나, 그 사람이 부자라는 사실보다 아버지 딸이 그 사람을 좋아하는지, 가면 마음 편히 살 수는 있는지부터 생각해 주시면 안 되는 거예요? 덕분에 신세가 편해진다는 생각보다 그렇게 해서 힘들어질 제 인생을 먼저 걱정해 주셔야 하잖아요. 그래야 제가 돈에 팔려 간다는 생각을 덜할 게 아니에요.

"심청이 노릇도 지겹다."

저녁을 먹는 둥 마는 둥 하고 나는 곧바로 내 조그만 골방에 처박혀 버렸다. 무언가 더 말하고 싶어 하는 아버지의 모습도 보고 싶지 않았고 '나 진짜 대학 가도 돼?' 라고 묻는 막내의 모습도 지금은 생각하고 싶지 않았다. 지난 세월 그렇게 고생하며 뒷바라지를 했는데 계속 더 바라기만 하는 가족들의 무심함에 질려 버릴 것만 같았다.

"엄마, 나 오늘따라 엄마가 미워 죽을 것 같아."

낮에 못 다 흘린 눈물이 뒤늦게 후두둑 떨어져 옷자락을 적신다.

　밤이 늦도록 그저 멍하니 앉아 나는 방바닥에 고이 모셔 놓은 돈 봉투와 직장에서 바리바리 싸들고 온 쇼핑백만 바라보았다. 그러나 어디를 어떻게 바라보아도 귓가에서 메아리치고 있는 말은 오직 하나뿐이었다.

　'그냥…… 미숙 씨가 이 결혼을 받아들였으면 좋겠다는 말을 하고 싶었습니다.'

　어떻게 하는 게 잘하는 일일까. 아니, 이제 내 인생은 어떻게 되는 것일까.

　넓게 펼쳐진 논밭의 풍경이 차창 밖으로 빠르게 스쳐 가고 있었다.

　평평하고 유독 푸르게 물든 곳은 이삭이 자라고 있는 논이고 듬성듬성 비닐하우스가 자리 잡은 곳은 포도를 비롯해 복숭아나 사과 따위를 키우는 과수원이 있는 곳이다. 나는 조금 낯선 기분이 되어 고개까지 돌리고 그것들을 유심히 바라보았다.

　어차피 나고 자란 동네라 흘깃 보기만 해도 누구네 논인지 무슨 과일이 자라는 곳인지 손바닥 들여다보듯 훤히 알고 있지만 이렇게 남의 차를 타고 지나가면서 보는 건 또 처음이라 새로웠다. 이래서 사람은 두루두루 겪어 보고 살아야 하는 것인가 보다.

"아는 사람입니까?"

"네?"

갑작스러운 물음에 고개를 돌리자 그가 막 곁을 스쳐 가는 누군가의 희끄무레한 그림자를 가리켰다. 얼굴을 보았다면 누구인지 금방 알아보았을 것이나 이미 저만치 멀어지고 있는 뒷모습만 보고서는 아무리 이 동네 토박이인 나라도 뉘 집 아주머니인지 알아볼 길이 없었다.

"유심히 보는 듯하기에."

"아, 그런 게 아니라……. 저어기가 우리 뒷집 복숭아밭이라서 보고 있었어요. 지금쯤 한창 따고 있을 시기거든요. 여름이니까."

"복숭아라."

그런 과일엔 별로 관심이 없었는지 그가 조금 새삼스러운 시선으로 나를 돌아보았다.

깊은 빛을 머금은 시선이 머리 꼭대기 위로 집요하게 쏟아져 내렸다. 그 시선 하나에 어쩐지 매우 부끄러워져서 나는 냉큼 고개를 돌려 버렸다. 그래, 나 윤미숙 결국은 돈에 몸을 팔기로 작심한 처지였다.

사실, 그가 다녀간 날 밤늦게 잠이 들 때만 해도 나는 자존심을 지키는 쪽으로 마음을 거의 굳혀 가고 있었다. 눈물 젖은 퇴직금으로 미준이 마지막 학기 학비를 대고 미주 등록금은 이제부터 일해서 마련하면 되겠거니 계산까지 마치고 일어나면 당장 일거리부터 찾아 나서야겠다는 생각도 했다. 그런데 다음 날 아침 일찍 농협에서 전화가 온 거다.

'직장에서 잘린 거 다 알고 있으니 그동안 열심히 대출해 간 돈의 이자와 원금을 죄다 갚으시오.'

지겨운 '고객님' 소리와 함께 구구절절 말은 많았으나 결론은 그렇고 그런 이야기였다. 조만간 연락이 올 거라는 건 알고 있었지만 생각보다 너무 빨랐다. 다시 간이 철렁했다. 마지막 선택의 여지가 사라지는 순간이었다. 아버지도 미주도 내 눈치만 보고 있는 와중에 그런 전화까지 받아 놓자 자존심이고 뭐고 신경 쓸 정신마저 저 멀리로 사라지고 말았다. 거기에 양재호가 청혼 안 받아 줄 거면 차 유리창 값이라도 받아 내야겠다며 전화기 너머에서 생떼를 쓰는 꼴까지 보아 놓았더니 정오가 되기도 전에 속이 뒤집어졌다.

아무튼지 간에, 여차저차 해서 나는 결국 이 선본 남자에게 굴욕적인 모습으로 고개를 끄덕이는 사건을 연출하게 된 것이다. 다행히 그는 나를 비웃지 않았다. 그저 담담히 마주 고개를 끄덕이고는 떡하니 자신의 집으로 인사 가는 날짜를 통보한 것뿐이다. 그리고 마침내 내가 고개를 숙인 날로부터 만 하루가 지난 오늘 나는 그와 함께 이렇게 차를 타고 서울로 향하고 있었다.

선본 지 어언 이 주.

얼굴 두 번 보고, 밥 두 번 먹고, 차 두 번 마신 다음 청혼을 받고 다시 하루상간으로 얼굴 두 번 본 끝에 윤미숙은 결혼을 하겠다고 지금 시댁 식구들에게 인사를 하러 가는 중이라는 말이다. 물론, 결혼식 날짜도 오늘 중으로 나올 거란다. 뭐가 그리 급한지 그는 내게 숨 쉴 틈도 주지 않고 모든 일을 일사천리로 진행하고 있었다. 벌써부터 턱 끝까지 숨이 턱턱 차오르는 느낌이 들었다.

"사장님, 고 실장님 전화입니다."

노트북을 끼고 앞자리 보조석에 앉아 있던 남자가 뒤를 흘긋 돌아보면서 반짝이는 휴대폰을 내밀었다.

이거, 이것도 적응이 안 된다.

정애 할머니 말만 듣고 나는 그가 그냥 은행에 다니는 일반 직원인 줄만 알고 있었다. 그런데 오늘 아침 그는 기사가 딸린 예의 육중한 차에 그를 향해 '사장님'이라고 부르는 비서까지 싣고 와서는 무방비 상태에 놓여 있던 내 혼을 또 쏙 빼놓았다. 덕분에 나는 지금까지도 은행과 사장님 사이에서 엄청나게 방황하는 중이었다. 예의 비서가 나를 못마땅한 시선으로 가끔 노려본다는 사실도 그 엄청난 방황에 한몫하고 있음은 물론이었다.

아무리 그래도 그렇지 너무 그렇게 노골적으로 마음에 안 든다는 시선을 보낼 필요는 없는데……

―김우인, 너 죽고 싶어? 거기 어디야? 당장 털어놓지 못해!

통화가 연결되자마자 수화기 너머에서 천둥 같은 고함 소

리가 터져 나왔다. 소리가 어찌나 큰지 전화기 안에서 흘러
나오는 소리답지 않게 차 안이 다 쩌렁쩌렁 울렸다. 별로 듣
고 싶지 않은 이야기였지만 고개를 돌려 외면한 보람도 없
이 그들의 통화 소리는 소심한 내 귀에까지 너무 잘 들려왔
다.

—새꺄, 너 지금 한번 해 보자 이거지?

"……나다."

—흡! ……혀, 형?

침착한 그의 목소리 덕분에 간신히 이성이 돌아왔는지 미
친 듯이 팔팔 날뛰던 상대가 순식간에 목소리를 착 깔았다.
그러나 아직 분기를 다 가라앉히지는 못해서 수화기 너머에
서 들려오는 숨소리가 여전히 거칠었다. 조금만 더 그냥 두
었다면 모르긴 해도 제 성질에 못 이겨 지레 숨이 넘어갔을
터였다.

대체 누굴까?

형이라고 부르는 걸 보면…… 혹시 동생? 나도 모르게 고
개가 다시 슬그머니 그에게로 향했다. 그는 언제나 그렇듯
매우 진지한 자세로 귀를 기울이고 있었다. 동생이라면 역시
이 사람이랑 많이 닮았을까? 아무래도 성격은 영 판판인 것
같지?

—크흠. 어딥니까?

내가 막 유전자의 행방에 대해 궁금해하기 시작했을 때 이

번에야말로 제대로 숨을 고른 상대가 툭 물었다.

—정말로 선을 봤다는 겁니까?

"음. 봤다."

—하! 기, 기가 막혀서……. 그 시골까지 내려가 마을금고에서 일한다는 여자랑 선을 봤다고요? 형이?

"……."

대답 대신 이 시골까지 내려와 마을금고에서 일한다는 여자랑 선을 본 문제의 고은후 씨는 제 손에 들린 수화기를 슬쩍 돌아보았다. 그리고 나는 재빨리 고개를 원래 위치로 돌려놓았다. 세상에 이런 일은 있을 수 없다는 듯 경악이 한가득 담긴 목소리를 듣다 보니 왠지 모르게 죄책감이 몰려오려고 한다. 마치 앉아서는 안 될 자리에 앉아 있는 것만 같은 것이……. 사고 치고 나서 혼날 일을 앞둔 철부지처럼 기분이 묘하게 거슬렸다.

—형!

"그래, 지금 같이 올라가고 있는 중이다."

—도, 돌겠네. 우리 할망구 이젠 노망까지 난 겁니까? 아니, 아무리 할매가 등을 떠밀었어도 그렇지 가라고 정말 가는 건 뭡니까? 형이 선을 왜 봐요?

글쎄, 그건 나도 정말 궁금한 일이다.

아무리 등을 떠밀렸고 당장 내밀 여자가 곁에 없었다고 해도 그렇지, '고 사장님' 씩이나 되는 양반이 이 시골까지 내려와 선을 볼 건 뭐고, 하필 그 여자랑 꼭 결혼까지 하겠다고 나설 건 또 뭐였나. 같은 지역사회 출신의, 격이 어울리는 여자를 찾아 진지하게 연애질 좀 하다가 결혼을 할 것처럼 생긴 사람이 여러 사람 피곤하게 왜 이렇게 엉뚱한 일을 벌이고 있는 건가.

'솔직하게 고백해 보시오. 이유가 뭐요. 선 따위 안 봐도 여자 하나쯤은 쉽게 낚을 수 있는 능력자가 뭣 때문에 사방에 적을 깔면서까지 윤미숙을 돈으로 산 거랍니까?'

워낙 궁금한 문제이다 보니 나도 모르게 귀가 쫑긋 곤두섰다.

말문이 막힌 듯 그는 잠시 뜸을 들이고 있었다. 그러다 잠시 후, 눈동자만 굴려 슬쩍 나를 한 번 본 다음 특유의 나직한 목소리로 그가 말했다.

"할머님이……."

버릇인 듯 느릿하게 말문을 열며 그는 잠시 심호흡을 했다.

묵직한 한숨 소리가 지나치게 생생하게 귀를 찔렀다. 그리고 곧 성질 급한 상대의 요구대로 그는 그 길고 긴 사연들을 딱 한마디로 압축해 버렸다.

"이번에 선을 안 보면 '그게' 안 서서 장가 못 가는 거라고 은행에 소문을 내신다고 했다."

―푸웁! 쿨럭, 쿨럭. 뭐, 뭣?

"내가 선을 본 건 순전히 그 말이 사실이 아니라는 걸 증명받고 싶어서였다."

—…….

진지한 설명에 상대편은 잠시 말이 없었다.

앞자리에 앉은 기사와 비서가 눈을 부릅뜨고 일제히 그를 돌아보고 있었다. 나 또한 당황해서 어느새 눈을 똥그랗게 뜨고 그를 빤히 바라보고 말았다. 설마, 그 말이 사실인 것은……! 아니, 제발 이런 슬픈 상상은 하지 말자. 그게 사실이면 인류의 미래는 얼마나 쓸쓸할 것이란 말이냐. 시선이 자꾸만 아래로 떨어지려는 것을 나는 필사적인 인내력으로 견뎌 냈다. 아, 이 차 천장이 참 좋네.

분위기가 갑자기 싸늘해졌다.

차 안의 상황을 아는지 모르는지 그는 여전히 차분한 자세로 전화기에 귀를 대고 상대를 향해 약간의 설명을 덧붙이고 있었다.

"할머니가 특별히 강조하신 말씀에 마음이 혹한 것도 사실이다."

—노, 노친네가 뭐라고 했는데?

"상대가 엄청이 섹시한 여자라고."

—…….

어, 엄청이 섹시한 여자!

할머니, 제 어디에 그런 엄청난 섹시함이 있었을까요. 앞

자리에 앉은 두 남자의 시선이 이번엔 나에게로 오롯이 집중되었다. 갑작스럽게 찾아든 민망함에 얼굴이 벌겋게 달아올랐다. 안 그러려고 해도 시선은 저절로 몸 이곳저곳을 방황하고 있었다. 그리고 마침내 대뇌를 강타하는 처절한 의문 하나.

윤미숙은 과연 섹시한가?

갑자기 지금보다 더 엉망이었던 선 자리에서의 추태가 떠올랐다.

세수만 간신히 한 맨 얼굴에, 안 감아서 떡이 진 머리는 눌러쓴 모자로 가리고 몸엔 헐렁한 티셔츠와 청바지를 걸친 데다 결정적으로 다 떨어진 지저분한 운동화를 신은 여자는 과연 섹시할 수 있는 건가.

'할머니 맙소사. 정애 할매, 혹시 친구와 그분의 손자를 상대로 사기를 치신 거여요?'

아닌 게 아니라, 이제 앞자리에 앉은 두 남자는 거의 사기꾼 보듯 나를 보고 있었다. '너의 어디에 엄청난 섹시함이 있어서 우리들의 보스를 자빠뜨린 거란 말이더냐.' 라는 말이 귓전에서 메아리치는 것만 같았다. 특히 김우인인 게 분명한 보조석의 비서는 아예 팔짱까지 척 끼더니 나에게 노골적으로 비웃는 눈빛을 보내왔다. 아니, 그러니까 나는 정말 모르는 일이었소이다마는.

나는 두 사람의 시선을 피해 조심스럽게 고개를 돌렸다.

그러곤 차창에 거의 이마를 박다시피 하고 의식적으로 밖의 풍경에만 집중하기로 했다. 귀도 막았다. 통화는 한참이나 더 이어졌지만 다행히 소리는 더 이상 들려오지 않았다. 차에 탄 지 이제 겨우 십 분밖에 안 되었는데 나는 벌써 집으로 돌아가고만 싶었다. 그러나 그런 나의 소망과는 아무 상관없이 차는 한 번도 멈추는 일 없이 빠르게 굴러가고 있었다.

통화가 끝난 뒤, 차 안은 고요했다.

모두 그러기로 모의한 사람들처럼 우리는 차가 움직이는 동안 서로를 향해 단 한 마디도 꺼내지 않았다. 기사는 운전에 집중하고, 비서는 노트북을 두드리고, 그는 내내 뭔가 서류를 보고 있었으며, 결정적으로 엄청난 섹시함으로 무장한 나는 차창에 고개를 처박고 조느라 바빴다.

"잘 잤습니까?"

그가 그렇게 물었을 때에야 나는 내가 곤히 잠들었었다는 사실을 깨달았다. 기사는 여전히 운전에 집중하는 중이고, 비서도 아직 노트북을 두드리고 있고, 그 또한 서류에서 눈을 떼지 않고 있었지만 그럼에도 불구하고 내가 침까지 흘리며 잤다는 사실은 벌써 다들 눈치채고 있는 듯했다. 쪽팔린다.

"흐흠, 밤에 잠을 못 자서."

· 같잖은 변명을 한마디 해 놓고 나는 손바닥으로 남몰래 입

가를 닦아 냈다. 그러곤 다시 유리창 쪽으로 고개를 처박았는데 밖의 풍경이 어느새 확 달라져 있는 거다. 잠시 졸다 깨어난 것뿐인데 '서울'이라고 쓰여 있는 커다란 전광판이 점점 더 가까워지고 있었다. 고속도로 IC 출구였다. 설마, 나 서울로 오는 내내 잠들어 있었던 것이란 말이냐?

펄쩍 뛰어오를 것만 같아서 나는 부러 엉덩이에 힘을 꾹 주었다.

원래 내가 이렇게 대담한 애가 아니었다. 잘생긴 남자와 선을 본 건 어쩔 수 없었다 치더라도 그 남자 앞에서 밥을 푹푹 퍼먹는다거나 침을 흘리며 잔다거나 혹은 돈을 받고 결혼해 주는 일 같은 건 꿈에라도 할 수 있는 애가 아니었단 말이다. 그런데 사는 게 힘들어 그랬는지 아니면 누군가가 나를 저주한 건지 그 모든 일을 다 해치우고도 모자라 지금은 이렇게 당당하게 사기까지 치러 가는 중이었다.

'보아하니, 동생도 자세한 계획은 모르고 있는 것 같은데.'

할머니에게 결혼식을 보여 주기 위해서 돈 주고 나를 사 왔다는 사실 같은 건 본인 외에 아무도 모르고 있는 게 틀림없었다. 심지어 비서까지 몰라서 그는 시시때때로 아무 죄 없는 나를 죽일 듯이 꼬나보곤 한다.

'동생은 반대했고 비서는 나를 싫어하고 본인은 무슨 생각을 하는지 알 수 없을 뿐이고. 그럼 이제 나는 뭘 해야

하지?'

　갑자기 앞날이 막막해지는 것 같아 나는 그를 살짝 돌아보았다.

　그는 여전히 서류에 코를 박고 있었다. 그리고 나는 조금 감동했다. 열심히 일하는 남자가 멋있다던 말이 뒤늦게 떠올랐지만 그런 것과는 아무 상관없는 순수한 감동이었다. 잠을 잘못 잤는지 내 눈에 그는 마치 조명을 받아 반짝반짝 빛나는 영화배우처럼 보였다. 반듯한 이마에서 시작되어 날카로운 콧날로 이어지는 그림 같은 얼굴선과 이마 위로 살짝 흐트러진 머리칼이 하필이면 왜 이렇게 멋있는 건가. 그냥 서류를 보고 있을 뿐인데 어째서 그는 모델처럼 멋진 거지?

　멋있다는 사실을 인정하기가 무섭게 왈칵 짜증이 났다.

　그가 지나치게 멋있으면 안 그래도 촌스런 내가 더 후줄근하게 보일 테니까 말이다. 아, 한참을 멍하니 바라보고만 있자 또 눈뜨고 자는 줄 알았는지 비서가 슬쩍 꼬나본다. 다 잤다니까 그러네. 비서를 향해 바보처럼 히죽 웃어 주고 나는 다시 창밖으로 시선을 돌렸다.

　무언가 계획이 있으니 일을 벌였을 텐데 그는 아직 나에게 아무런 언질도 주지 않고 있었다. 가족들에게 어떻게 대해야 하는지, 내가 주로 해야 하는 일은 무엇인지, 언제까지 결혼 상태를 유지할 계획이라든지, 하는 기타 등등의 문제에 대해서는 전혀 입도 안 떼고 있는 중이었다. 뭐, 언젠가는 말을 해 주긴 하겠지만 이왕이면 결혼식 전에 듣고 싶은 작은 소망이 있다.

'사랑에 빠져서 결혼하는 사람들처럼 보여야 할 텐데 연기가 잘되려는지 모르겠네.'

생각을 하면서도 나는 픽 웃었다.

당연히 연기가 잘될 리가 없었다. 끝내주게 멋있고 잘생기긴 했지만 저 근엄하고 무서운 남자와 사랑 연기라니. 상상만으로도 벌써 무섭다. 나란히 서기만 해도 안 어울려서 슬픈데 연기한답시고 팔짱이라도 끼어 봐라. 나는 아마 옥에 낀 티 같은 스스로의 모습 때문이 아니라 그저 그 상황이 너무 무서워서 심장마비를 일으킬지도 몰랐다.

"집으로 갈까요?"

"아니, 시장으로."

"연락해 두겠습니다."

무언가 암호 같은 말이 오가더니 차는 곧 방향을 정하고 빠르게 달리기 시작했다. 그제야 그가 서류에서 눈을 떼고 나를 돌아보았다. 잠에서 깬 뒤 처음으로 시선이 마주쳤다. 아무 말 없이 우리는 한동안 서로를 그냥 바라만 보고 있었다. 짧은 순간이지만 공범자끼리의(?) 훈훈한 시선이 오고 갔다. 장족의 발전이었다. 처음 선 자리에서 만났을 땐 마치 원수 집안사람들처럼 서로를 잡아먹을 듯이 바라보았었는데 말이다. 문득 그가 말했다.

"할머님을 뵈러 갈 겁니다."

"아, 네."

"동생이랑 제수씨가 올 것 같고 여동생도 같이 있습니다. 할머님이 편찮으셔서 상견례는 이것으로 대신할 예정입니다. 괜찮겠습니까?"

"그럼요. 저는 괜찮아요."

나는 선선히 고개를 끄덕였다.

어차피 진짜 결혼도 아닌데 뭐가 어찌 되든 무슨 상관이 있을까. 다만 바라는 것이 있다면, 제발 온 가족이 나를 미워하지만 않았으면 좋겠다는 점이다. 아까 전화 통화를 한 동생만 하더라도 성격이 만만치 않을 것 같은데 그런 사람에게 미움을 받으면 얼마나 무서울 거란 말이냐.

아무리 돈 받고 하는 일이라지만 사방에 적을 깔아 두고 살 수는 없을 터였다. 그런 의미에서 나는 제발 그의 가족들 중 단 한 명이라도 나를 마음에 들어 하는 사람이 있게 해 달라고 기도했다. 그리고 언제까지 이 연극을 계속해야 하는지 알 수 없지만 어쨌거나 가능하면 빨리 끝나게 해 달라고도.

'되도록 한가한(?) 결혼 생활이 되게 해 주세요.'

나는 손까지 모으고 속으로 치성을 드렸다.

그사이 한참을 달리던 차가 마침내 멈추어 섰다. 문이 열

리고 먼저 내린 그가 쏟아지는 햇살을 받으며 잠시 서 있다
가 안쪽에 있는 나를 향해 손을 내밀었다.

"가죠."

잠시 망설이다 나는 그의 손을 맞잡았다.

4.

상견(相見)

자들하고 친구나?

—웰컴 투 동막골(2005) 中—

살기가 뚝뚝 떨어지는 부리부리한 눈동자 한 쌍이 나를 샅
샅이 훑고 지나갔다. 위에서 아래로, 아래에서 위로 한 번 보
고 두 번 보고…… 표정이 굳었다. 짙은 눈썹이 하늘을 향해
곤두서더니 거의 동시에 미간에 굵은 주름도 잡혔다. 솔직하
기 이를 데 없지만 싸가지도 없어 보이는 눈동자 위로 '이 여
자, 그냥 죽여 버릴까?'라는 결심이 노골적으로 스쳐 지나가
는 것이 보였다.

머리 꼭대기에서 발끝까지 주욱 훑어 내리는 꼼꼼한 시선

에 진즉부터 바짝 굳어 있던 몸이 이번엔 저절로 움직였다. 나는 새파랗게 질린 채 날렵한 동작으로 고 사장의 등 뒤로 숨어 버렸다. 할머님이 계시다는 시장 한복판의 가게 앞에서 훌쩍 큰 키에 떡 벌어진 어깨를 가진 잘생긴 남자를 발견했을 때만 해도 잘해 보리라 다짐했던 마음은 어느새 사라지고 없었다.

'내가 뭘 잘못했다고 이래. 보자마자 딱 때려죽이고 싶다는 그 표정은 뭐냐고.'

누군지 묻지 않아도 나는 이미 그의 정체를 알 것 같았다.

볼 것도 없이 오는 길에 전화 속에서 고래고래 고함을 치던 바로 그 남자가 틀림없었다. 그 동생이라는. 안 그래도 성격이 보통은 넘을 거라고 예상은 했지만 그는 내 예상을 훌쩍 뛰어넘어 아예 무시무시하게 보이기까지 했다. 누가 고 사장 동생이 아니랄까 봐 눈매를 딱 찍어다 박았는데 그 눈매가 결정적으로 두 배쯤 더 거칠었다.

그런 이유로 나는 또 간이 콩알만 해져서 단박에 기가 죽고 말았다. 이건 애초부터 상대가 안 되는 게임이었다. 내가 사이즈 아담한 초식동물이라면 그는 대형 육식동물에 가까운데 어찌 감히 상대가 될 수 있으랴. 저 큰 손에 한 대만 맞아도 바로 죽어 버릴 게 틀림없는데 말이다.

'비서는 나를 싫어하고 동생이라는 사람은 나를 딱 때려죽이고 싶어 하는데, 나 오늘 살아 돌아갈 수 있는 건가?'

발발 떨면서 나는 고 사장의 옆구리 사이로 고개만 슬쩍 내밀고 다시 한 번 그를 가만히 바라보았다. 그런 나를 발견한 그의 사나운 눈매가 어처구니없다는 빛을 머금고 또다시 꿈틀한다. 덩달아 내 어깨도 움찔 떨렸다.

　"아, 안녕하세요."

　다시 고 사장의 등짝에 고개를 처박고 싶은 충동을 억누르며 나는 힘겹게 인사를 했다. 그리고 조금 후회했다. 손에 과자, 아니 육포라도 한 보따리 사 들고 올 걸 그랬다. 그러면 그거라도 내주면서 '제발 저를 잡아먹지 말아 주세요.'라고 애원할 수 있었을 것 아닌가.

　"인사해라. 네 형수다."

　"……."

　"고은준."

　보다 못한 고 사장이 내 손을 잡고 곁에 세우더니 그를 향해 나직이 으르렁거렸다. 그러자 팔짱을 낀 채 여전히 불만 많은 표정으로 나를 노려보던 그가 마지못해 고개만 까딱하고는 이번엔 제 형을 향해 뭐라 말할 듯 입을 열었다. 그때였다.

　"어머, 아주버님 오셨어요?"

　그의 등 뒤, 가게 안에서 웬 토끼 같은 여자가 하나 톡 튀어나왔다. 뽀얗고 예쁜 얼굴에 하얀 원피스를 걸친, 몸매가 예쁜 여자였는데 눈가와 입가에 생글거리는 미소를 매달고 있었다. 표정이 좋아서 그런지 작은 움직임 하나에도 생기가 뚝뚝 떨어지는 것이 가만히 보고만 있어도 금방 기분이 좋아질 것 같은 사람이었다.

"아가씨, 아주버님 오셨어요! 빨리 나와 보세요."

"어, 왔어요? 어디 어디!"

가게 안쪽에서 잠시 우당탕탕 하는 요란한 소리가 흘러나왔다. 그러더니 곧 앞치마를 두른 아담한 체구의, 얼굴이 뽀얀 단발머리 아가씨 하나가 후다닥 달려 나오는 거다. 자빠질 듯 달려 나온 아가씨가 이내 나를 발견하고는 눈을 동그랗게 치떴다.

"우와, 진짜다! 큰오빠가 진짜 여자를 데려왔어."

"그것도 어리고 예쁜 여자예요. 어쩜 정말 결혼하시는 건가 봐요. 거 봐요, 은준 씨. 내 말이 맞았죠? 진짜 결혼하시는 거 맞잖아요."

"……."

"당신, 혹시 화났어요?"

"……아니야."

"대답이 한 박자 늦었어요. 거짓말! 근데 왜 화가 났는데요? 또 세상이 당신 마음대로 안 돌아가요?"

아니 아니, 그게 아니에요. 그 남자는 세상이 마음대로 안 돌아가서가 아니라 형수감이 마음먹은 대로 생겨 주지 않아서 화가 난 것뿐이랍니다. 사실은 진짜 형수감도 아닌데 말이지요.

　예의 짐승 같은 남자의 팔짱을 끼면서 달래듯 묻는 토끼 여인네에게 나는 진심으로 걱정 어린 시선을 보내 주었다. 저러다 혹시 나 대신 한 대 쳐 맞지 않을까 싶어서. 그러나 믿어지지 않게도 잔뜩 곤두섰던 남자의 눈썹에서 슬그머니 힘이 빠지더니 한 대 치는 대신 한숨처럼 나를 한 번 힐끗 보고는 그녀의 허리에 팔을 두른 채 그냥 안으로 횅하니 들어가 버리는 거다.

　"응? 작은 오빠는 또 뭐가 마음에 안 들어서 저러는 거지? 하여간에 못되어 처먹었다니까. 놀라셨죠, 언니?"

　"예? 아, 아니에요."

　"신경 쓰지 마세요, 언니. 작은 오빠가 성격이 원래 나빠서 그래요. 그래도 아주 나쁜 건 아니니까 조금만 미워해 주세요."

　미안하지만 아주 나빠 보여요, 아가씨.

　전화기에 대고 고함을 지를 때부터 저 성질머리의 대단함을 내 이미 정확히 꿰뚫어 보았소이다. 어쨌거나 이해는 할 테니 부디 제가 살해당한 다음 남몰래 암매장 되지나 않게 도와주시구려.

　"잘 부탁드려요, 아가씨."

　나는 미래의 시누이에게 넙죽 고개를 숙였다.

　그냥 고개만 숙인 게 아니라 아예 허리까지 90도로 꺾었다. 내 편이 되어 줄 수 있는 단 한 명의 존재가 너무 간절해서가 아니라 그 와중에도 이 집안의 대략적인 권력 구조를 엿보았기 때문이었다. 그러니까 성질 나쁜 시동생은 형님인 고 사장과 토끼 같은 마누라에게 약하고 그 마누라는 시누이에게 약한데 결정적으로 이 시누이는 고 사장에게 사랑을 받고 있는 것 같았다.

"은수가 많이 기다렸니?"

고 사장이 손을 들어 아가씨의 머리를 슥슥 쓰다듬어 주고 있었다.

사람 기함하게시리 언제나 무표정하던 얼굴에 훈훈한 미소까지 매단 채였다. 나는 거의 못 볼 것을 본 사람처럼 입을 떡 벌리고 그 모습을 멍하니 바라보아 주었다. 희미하긴 하지만 입가에 생긴 저 멋진 주름은 미소가 분명하렷다.

'고 사장도 사람이었구나.'

새로운 깨달음 앞에서 나는 조금 감탄했다.

그는 정말로 잘생긴 사람이지만 표정이 없다 보니 잘생겼다는 느낌보다 오히려 차가운 분위기를 더 강하게 풍기고 있는 것이 사실이었다. 냉정하고 위험해서 접근이 불가능한 그 무엇처럼 느껴진다고나 할까. 그런데 그 위험한 얼굴에 표정이라는 것이 깃드는 순간 그는 마치 다른 사람처럼 보일 정도로 분위기가 확 달라지는 거다.

짧은 순간이었지만 훈훈한 미소를 매달고 있던 그는 진정 눈이 부시게 아름다웠다. 꽁꽁 얼어 있다가 이제 막 해동된 사람처럼 눈에서부터 시작된 따스한 온기가 얼굴 가득 번져 가는 모습은 경이 그 자체였다. 그 소리 없는 변화를 목격한 순간 '차가워 보이지만 사실은 다정한 사람일지도 몰라.' 라고 혼자서 생각했던 일이 어쩌면 사실일지도 모른다는 거룩한 예감까지 들었다.

'그냥 나에게만 다정하지 않을 뿐이지. 남이니까.'

그가 가족 앞에서는 희미하게나마 표정을 보인다는 사실을 나는 금방 깨달을 수 있었다.

할머님을 모시고 온 가족이 둘러앉자 그런 사실은 보다 노골적으로 드러났다. 할머님은 생각보다 몸이 많이 불편해 보이셨는데 그런 그녀를 손수 부축해 일으켜 앉혀 드리는 것은 물론이고, 귀여운 여동생의 고자질 아닌 고자질도 웃으며 들어 주고 심지어는 불퉁한 남동생의 투덜거림까지 유심히 들어 주는 애정을 발휘했다. 거기에 하나뿐인 제수씨야 말하지 않아도 귀히 여기는 것이 눈에 훤히 보였고.

한자리에 모여 앉은 지 고작 십여 분 사이에 벌어진 일이었으나 그 짧은 사이에 나는 외톨이가 된 듯 극심한 외로움을 느꼈다. 비서는 나를 싫어하고, 남동생은 나를 딱 죽이고 싶어 하는데, 결정적으로 그는 나에게 관심조차 없다고 생각하니 오지 말아야 할 곳에 와 있다는 생각과 함께 고립감까지 몰려오려고 했다. 그만큼 할머님을 모시고 똘똘 뭉쳐 앉은 남매들 사이에서 나는 철저한 이방인이었던 것이다. 그때였다.

"참말 곱다잉."

대화에 끼어들지도 못하고 한쪽에 덜렁 앉아 있는 나를 가만히 보던 할머님이 문득 말했다.

"춘자, 그 가시내가 엄청이 곱다고 했을 때만 해도 살짝이 긴가민가 했는디 참말이었던 겨. 아니, 어떻게 이렇게 내 맘에 쏙 들 수가 있는가."

"흥!"

"뭐하는 짓이여? 은준이 니가 시방 콧방귀를 뀐 거여?"

연방 웃음을 흘리며 좋아하는 할머님을 향해 무서운 시동생이 가차 없이 콧방귀를 날렸다. 그러더니 흡사 나 들으란 듯이 말했다.

"엄청이 섹시하다고 했다더니?"

미안하오이다, 안 섹시해서.

"아, 그렇다고 하잖여 시방. 섹시하잖여. 딱 보면 모르간디?"

할머니, 그러니까 눈도 편찮으신 거죠?

할머님은 노환에다 풍까지 겹쳤는지 반신이 마비된 상태였기 때문에 혼자 앉아 있는 것조차 조금 힘들어 보였다. 당연히 눈도 그리 좋아 보이진 않았다. 그러니 그분 눈에 내가 조금 섹시해 보인다고 해도 그냥 이해하고 넘어갈 수밖에 없었다. 의구심을 가득 담은 고씨 남매들의 시선이 일제히 나에게로 모여들었다.

할머님이 발견했다는 섹시한 구석을 찾으려는 듯 집요하게 쏟아지는 시선들. 어째 점점 더 회의적으로 변해 가는 시선을 피하지도 못하고 민망하게 앉아 있는데 그런 나를 할머님이 손짓으로 가까이 불러 앉혔다. 그 간단한 손짓 하나조차 여러모로 부자연스러워 보였기 때문에 순간 나는 고 사장이 결혼을 서두르는 이유를 진심으로 이해할 수 있었다. 그리고 지금 막 내가 선택된 이유도 알았다.

"거가 고향인겨?"

"네."

"나도 거가 고향이여. 사과나무가 있는 집이었는디 나고 자라서 시집오기 전까지는 계속 거서 살았어. 아이고, 고향 사람이라서 그런지 참말 곱다. 이렇게 와 줘서 고맙네. 이렇게 고운 사람이 우리 큰 손부님이 된다는 게 믿어지지가 않어."

같은 고향 사람이라는 사실이 인생에 이렇게나 큰 영향을 미칠 줄이야.

할머님은 주름이 성성한 한 손으로 내 손을 꼭 모아 쥐고는 마치 친인을 대하듯 말하며 그렇게 넉넉한 웃음을 지으셨다. 덕분에 작은 안도감과 함께 감사하는 마음이 뭉클 솟아났다. 그래도 할머님은 내 편이 되어 주시겠구나 하는 생각에.

"너무하세요, 할머니. 저한테는 그런 말씀 안 해 주셨잖아
요."

나를 향한 과한 찬사에 질투가 났는지 토끼 같은 동서(?)
가 갑자기 손을 번쩍 들더니 밉지 않게 입술을 삐죽였다.

"저한테는 예쁘다는 말씀도 안 하시고, 와 줘서 고맙다는
말씀도 없으셨으면서."

"이년아! 그람 우리 큰 손부님이랑 너랑 같은 줄 알았나?"

"에? 다, 다른 게 뭔데요?"

"너는 그냥 둘째지만 우리 큰 손부님은 앞으로 내 제사상
도 차려 주고 고씨 집안 대도 이어 줄 귀한 사람이란 말여.
시답잖게 어디서 비교를 하는 겨. 썩을 년."

"할매!"

감사하는 마음이 솟아났다는 말은 취소다.

온화하고 다정한 얼굴을 하고 있었던 할머님의 입에서 '이
년아'라는 욕설이 터져 나오고 동서가 울먹이고 성격 살벌한
문제의 시동생 고 실장이 버럭 고함을 치는 순간 나는 잠시
잊을 뻔했던 사실 하나를 깨달았다. 아하, 내가 이렇게 사방
의 적들에게 둘러싸인 건 죄다 할머님 탓이었구나.

갑자기 선을 보게 만든 할머님 덕분에 비서는 나를 싫어하
고 시동생은 나를 때려죽이고 싶어 하며 고 사장은 나에게
관심이 없는데 이제 하나뿐인 동서조차 나를 미워하게 되었

다. 그럼 아가씨는? 뽀얗고 깨끗한 얼굴에 선한 미소를 가진 시누이에게 마지막 희망을 걸어 두고 나는 조금 애달픈 시선으로 그녀를 바라보았다. 아가씨가 소리쳤다.

"할매, 왜 또 그래? 툭하면 자꾸 심술이나 부리고. 미워 죽겠어, 진짜! 그렇게 새언니가 좋으면 이제부터는 큰오빠 집에서 새언니랑 살아!"

……아무래도 아가씨도 나를 미워하기 시작한 것 같다.

나는 아직 아무것도 한 게 없는데, 그저 이 자리에 앉아 있다는 이유만으로 순식간에 공공의 적이 되어 버렸다. 그 사실이 너무 어처구니없고 동시에 억울하기도 해 뭐라 따지고도 싶었지만 대체 누구에게, 뭘, 어떻게 따져야 하는지 알 수 없어서 그냥 잠자코 있어야 했다. 어차피 고 사장에게 돈을 받은 순간부터 나는 자유를 봉쇄당한 것이나 마찬가지인 신세였다.

할 수만 있다면 그놈의 돈을 꽉 돌려주고 '나도 이런 결혼은 절대로 하기 싫습니다!' 라고 소리쳐 주었으면 참 좋겠지만 안타깝게도 이제는 그럴 수가 없었다. 결혼을 결심하기가 무섭게 나는 아버지의 성화에 못 이긴 척 그 돈을 들고 당장 농협으로 달려가 모든 빚과 이자를 모조리 갚아 버린 다음 전전긍긍하고 있는 미준이에게도 학비며 생활비까지 해서 왕창 부쳐 주었다. 뿐만 아니라, 그를 따라나서기 직전에는 저 망할 양재호에게 적선하듯 차 유리창 값을 선선히 보내 주기도 했다.

벌기는 그렇게 힘들더니 쓰기는 왜 그렇게도 쉽던지.

이틀 사이, 나는 고 사장이 준 돈의 절반을 탕진하는 기염을 토하는 데 성공했다. 즉, 이제는 돌려주고 싶어도 절반이나 되는 돈이 모자란다는 뜻이었다.

'버티자, 무조건 버텨야 해. 나는 돈에 팔려 오는 거야. 은행에 갚을 돈 고 사장에게 갚게 된 거라고. 그러니 고 사장이 되었다고 할 때까지 눈 감고, 귀 막고, 입도 다물고 그냥 '죽었습니다.' 하고 살자.'

그리하여 나는 의연한 척 앉아 남몰래 고 사장의 눈치를 살폈다.

혹시라도 여기서 마음이 변해 그냥 무르자고 하면 어쩌나 걱정하면서. 다행히 그도 아직은 무를 마음이 없는지 결혼에 관해서는 별다른 말이 없었다. 하긴, 할머님이 열렬히 응원하고 계신데 천하제일의 효자인 그가 어찌 감히 반발을 할 수 있을까마는.

"흥! 시끄러워, 이년아. 그래도 나는 우리 큰 손부님이 제일이여. 그래, 날짜는 받아 온 겨?"

압력에 굴하지 않는 꿋꿋한 자세로 할머님이 여전히 내 손을 잡은 채 이번엔 고 사장을 돌아보았다.

"나는 얼른 했으면 싶은디. 그짝 형편은 어떤 거여?"

"그럭저럭 괜찮습니다. 이왕이면 휴가 기간에 맞추는 게 좋을 것 같아 가능한 한 빠른 날을 잡을 생각입니다. 늦어도 다음 달 중반을 넘기지는 않을 겁니다."

"뭐, 뭣? 다음 달? 형!"

오 마이 갓!

할머님을 제외한 그의 가족들은 모두 펄쩍 뛰었고 나도 덩달아 놀라 눈을 휘둥그렇게 떴다. 다음 달, 다음 달 노래를 하더니 정말로 다음 달에 해치울 작정이란 말인가. 벌써 월말이라 다음 달이라고 해 봐야 일주일도 안 남았다. 그런데 그는 아주 당연하게도 그게 가능할 거라는 말을 하고 있었다. 대체 뭐가 그리 급해서 이러는 건가. 많이 불편해 보이긴 하지만 할머님은 당장 숨이 넘어갈 것처럼 보이지도 않는데 말이다.

"그, 그건 너무 빠르지 않아요, 큰오빠?"

"형, 그렇게 서두를 일이 아니잖아요?"

"서두를 일이 아니라니? 이것들이 시방 뭔 소리들을 하는 겨? 그것이 왜 서두를 일이 아니여? 은준이 이 썩을 놈, 너는 장가를 갔으께 네 형은 그냥 있어도 된다는 겨? 지 형보다 먼저 갔으믄 미안한 마음에서라도 그저 형 하는 대로 돕지는 못할망정 뭐시가 어쩌고 어쩌?"

"할매!"

"시끄러, 이놈아. 할매 안즉 안 디졌어. 어차피 할 결혼인디 미룰 것이 뭐 있간디. 잔말 말고 형이 하자는 대로 하는 겨."

고집이 뚝뚝 떨어지는 일갈에 성격 한 번 대찬 시동생도 입을 꾹 다물었다. 그러더니 또 원한에 사무친 눈으로 나를 슬쩍 노려보는 거다. 그 바람에 나는 또 무서워져 혼자라도 손을 번쩍 들고 '이의 있습니다.' 라고 소리치고 싶은 격한 충동에 시달려야 했다. 할머님이 계속 손을 붙잡고 있는데다고 사장이 딱 붙어 있어서 차마 도망은 칠 수가 없었기 때문이다.

"많이 작죠?"
멍하니 앉아 가게 안을 구경하는 내게 아가씨가 물었다.
자리가 대강 파하고 시동생 내외가 돌아가자 그나마 숨통이 트여 나는 슬슬 집 안 여기저기로 시선을 돌리고 있는 참이었다. 앞으로 내가 살 곳일 테니 이렇게 대강이라도 봐 두어야지 하는 생각이었는데 그 모습이 아가씨 눈에 뜨였나 보다.
"작아도 손님은 꽤 돼요. 쉬는 날이라 이렇게 한산한 거지 평소 같았으면 발 들여놓을 구석도 없었을 거예요."
"네에."
"우리 집 밥 진짜 맛있거든요. 아직 할매 솜씨는 못 따라가지만 그래도 제가 꽤 해요. 아, 그렇지. 점심 드시고 가세요. 제가 맛있게 해 드릴게요."
그 말을 듣고서야 나는 밥때가 다 되었다는 사실을 깨달았다.

아침에 부랴부랴 따라나서느라 혼이 쏙 빠지는 바람에 시간이고 뭐고 볼 정신이 없어서 여태까지 밥 먹을 생각도 못하고 있었던 것이다. 그에 조금 새삼스러운 시선으로 나는 테이블 여섯 개가 고작인 작은 가게 안과 할머님이 누워 계신 방 쪽을 돌아보았다. 그리고 조금 기특하다는 뜻을 담아 아가씨를 향해 살며시 웃어 주었다.

가게는 작지만 나름 깔끔하게 정리되어 있었다.

허름해 보이는 겉모습과 달리 탁자며 의자는 모두 반들반들하게 닦여 있었고 바닥에도 물기 하나 없었다. 뿐만 아니라 할머님이 누워 계신 방에서도 환자 특유의 냄새 하나 나지 않았고 오래 사용해 온 것이 분명한 고풍스러운 가구들에선 세월을 담은 깊은 윤기마저 흐르고 있었다.

그 모든 것이 이 작은 아가씨의 작품이라고 생각하니 공연히 웃음이 났다. 마치 우리 집 막내 미주를 보고 있는 것 같아서 더 그랬다. 나보다 한참은 어린 아가씨가 어떻게 이렇게 바지런하게 살림이며 가게 일까지 도맡아 해 온 것일까.

"가게 일, 아가씨 혼자서 다하시는 거예요?"

"네. 워낙 작아서 혼자서도 거뜬해요. 제가 이래 보여도 체력 하나는 타고났거든요. 저 짱돌이에요."

"후후, 네. 제 눈에도 짱돌처럼 보여요. 하지만 이왕 하는 거 둘이 하면 더 편하긴 할 거예요, 그쵸?"

"어, 둘이요?"

"네. 결혼하면 저도 도와야죠."

사실은, 고 사장이 비싼 차 타고 다니기에 집도 엄청 큰 부자인 줄 알았더랬다. 그래서 차 타고 오면서도 얼마나 좋았는지 모른다. 물론, 이만한 식당이며 잘 꾸며진 방만 해도 그리 부족해 보이진 않았지만 그래도 생각보다는 소박하고 규모가 작아서 그런지 내 소심한 가슴 한복판에서는 오히려 진한 안도감이 샘솟았다. 동시에 날름 받아먹은 큰돈에 대한 죄책감이 불쑥 커지는 것이 느껴져 나는 결혼 후에 성심성의 껏 돕겠노라고 작심한 참이었다.

솔직히, 그렇게 하면 당연히 아가씨가 기뻐할 줄 알았다.

고 사장이 나를 선택한 이유가 있으니 그녀도 얼마간은 나에게 기대하는 바가 있을 거라고도 생각했다. 그런데 눈을 빛내며 기뻐할 줄 알았던 아가씨는 어쩐지 조금 어색하게 웃는 것으로 대답을 회피하는 거다.

"왜요? 일 잘 못할 것 같아서 그러세요?"

"아, 아니요. 그런 게 아니라……."

"걱정 마세요. 저 일 잘해요. 이제까지 살림도 다하면서 살 았는걸요. 아, 식사 준비하신다고 했죠? 그거 제가 할게요. 아가씨는 날마다 할 테니까 오늘은 조금 쉬세요."

말리지도 못하고 따라나서지도 못한 채 우물쭈물하는 것

을 못 본 척하고 나는 팔을 둥둥 걷어붙이며 주방으로 나섰다.

내 팔자가 원래 이렇다. 쓸데없는 것까지 엄마를 닮아 내 집이거나, 남의 집이거나 상관없이 뭐든 해서 차려 주는 팔자지 가만히 앉아 받아먹을 팔자는 결코 아니었다. 더구나 어차피 이곳에서는 처음부터 내 쓸모가 딱 정해져 있기도 했다. 윤미숙은 이제부터 고씨 집안의 입주 가정부입니다. 땅 땅 땅!

'그래도 은행 빚보단 나을 거야. 때마다 독촉은 안 할 테니까. 그리고 혹시 알아? 할머님 병간호 잘하고, 가게 일도 열심히 하면 나중에 고맙다고 돈 안 갚아도 된다고 해 줄 지.'

떡 줄 사람은 생각도 안 하는데 혼자서 김칫국을 마시듯 남의 돈 떼어먹을 생각을 잘도 해 가면서 나는 열심히 주방을 휘저었다. 장사를 하는 식당이라 그런지 다행히 재료는 종류별로 넉넉히 준비되어 있었다. 있는 재료 가지고 밥이랑 찌개에 나물 몇 가지, 그리고 생선 몇 마리 구워 놓으니 몇 분 만에 뚝딱 한 상이 차려졌다. 아가씨가 짐짓 놀란 눈으로 내가 차려 낸 상을 바라보고 있었다.

"계란찜까지! 우와, 이 많은 걸 어떻게 이렇게 빨리……."

"만날 하는 일인 걸요. 아가씨는 분명히 저보다 더 잘하실 거예요."

"그걸 어떻게 알아요?"

"딱 보면 알죠. 주방이 아주 번쩍번쩍하던 걸요?"

"그거야 할매가 하도 잔소리를 하니까……. 그래도 이렇게 깔끔하고 맛깔나게 차려진 상은 첨 봐요, 언니. 진짜로 제가 쓰던 재료만 가지고 한 거 맞아요? 할매가 다시 멀쩡해져도 언니처럼 이렇게는 못할 거예요."

부러운 기색마저 담긴 곰살맞은 말에 나는 그냥 말없이 피식 웃고 말았다. 이런 상이야 어딜 가나 흔한 건데 부러 과하게 반응하는 모습이 마치 '고맙다'는 말을 하기가 부끄러워 괜히 딴청을 부리는 어린애처럼 보여서다. 확실히 우리 집 막내마냥 귀여운 아가씨였다. 나는 첫눈에 이 작은 아가씨가 마음에 들었다. 그리하여 바라건대, 내 편은 못 되어 줄지언정 저 성질 한 번 대찬 시동생처럼 나를 노골적으로 미워하지는 말아 주었으면 좋겠다. 할머님 빼고 온 집안 식구에게 미움을 받으면 안 그래도 쓸쓸한 윤미숙 인생은 대체 뭐가 될 거란 말이냐.

"할매, 이것 좀 봐. 오빠, 이거 언니가 다한 거예요."

방 안에 상을 내려놓기가 무섭게 아가씨가 조용히 앉은 두 사람을 붙잡고 열심히 부산을 떨었다.

"아니, 너는 손님한테 일을 시켰단 말이여?"

"손님이라니? 새언니인데. 그리고 내가 시킨 거 아니야. 그냥 언니가 한 거지. 진짜예요, 큰오빠. 그죠, 언니?"

"네, 아가씨 말이 맞아요. 제가 하고 싶어서 했어요, 할머니. 시장하시죠? 어서 드세요."

선선히 고개를 끄덕이며 숟가락을 내밀자 죄 없는 아가씨를 잡아 죽일 듯 노려보던 할머님이 못 이긴 척 슬그머니 수저를 받아 들었다. 미동도 않고 앉아 나를 물끄러미 바라보던 고 사장도 어쩔 수 없다는 기색으로 조용히 수저를 집어 들었다.

"어? 맛있다!"

가장 늦게 수저를 들었지만 누구보다 먼저 찌개 간을 본 아가씨가 눈을 둥그렇게 치뜨고 소리쳤다.

"이거, 이거 어떻게 한 거예요, 언니?"

"왜요? 간이 안 맞아요?"

"아, 아니요. 맛있어요. 예전에 할매가 해 준 거랑 똑같은 맛이 나요. 나는 아무리 해도 이 맛이 안 나는데 언니는 어떻게 한 거예요? 비법이 뭐예요?"

"비법이라뇨? 그런 거 없어요. 그냥 집에서 늘 하던 대로 한 건데요."

두부 넣고 끓인 찌개라는 게 어차피 다 거기서 거기다. 두부랑 김치만 넣으면 다 끝나는 일이라 어지간해서는 실패하기가 힘든 찌개이기도 하다. 그런 걸 가지고 비법 어쩌고 하면서 호들갑을 떠는 모습이 나로서는 조금 우스울 뿐이었다.

"세상에, 우리 큰 손부님은 손맛도 제대로 타고 났다잉."

슬쩍 찌개 간을 본 할머님이 생각지도 못했던 덕담을 내어 놓으셨다. 이제 보니 고 사장도 눈이 둥그레져서 나를 보고 있었다. 그래, 나는 태평양 같은 모성애를 가졌을 뿐만 아니라 밥도 잘한다. 어렸을 때부터 직접 해 먹고 살았는데 이 나이가 되어서 제대로 못한다면 그게 더 불가사의한 일일 거다.

"맛나다. 예전에 고향서 먹어 본 맛이여."

"입에 맞으세요?"

"암만. 딱 좋아. 애썼다. 내가 무슨 복이 많아 자네 같은 사람을 손부로 맞게 되었는지 모르겠네."

"별말씀을 다하세요. 어서 드세요."

밥 한 번 했을 뿐인데 칭찬이 우박처럼 쏟아지다니.

집에서는 한 번도 못 들어 본 말이라 나는 괜히 민망해져서 부랴부랴 시중드는 척을 했다. 잘 구워진 조기 살을 발라 막 밥을 뜬 아가씨의 수저 위에 올려 주었다.

"어?"

"왜요? 생선 싫어하세요?"

"아, 아니요. 좋아해요."

"그래요? 그럼 더 발라드릴 테니 많이 드세요."

할머님 쪽으로 부드러운 계란찜을 밀어 드리고 고 사장에 겐 제육볶음을 권한 다음 아가씨에게 생선 살을 더 발라 주었다. 그런데 몇 차례 더 받아먹기도 전에 아가씨의 눈가가 벌겋게 물드는 거다. 알아차렸을 땐 그렁그렁한 눈물이 이미 커다란 눈동자 가득 맺혀 있었다.

"왜, 왜 그러세요? 어디가 안 좋으세요?"

"아니요."

"그럼 왜……."

"그냥, 첨이라서요. 훌쩍. 다른 사람이 생선 살 발라서 이렇게 밥 위에 올려 준 거, 처음이에요. 흑, 맛있어요."

그럴 리가.

말도 안 된다. 노환을 앓는 할머니와 두 형제, 그리고 여동생 하나. 세상에 달랑 그들뿐이라서 유독 유대감이 강하다고 했었다. 아닌 게 아니라, 가족끼리 꽁꽁 뭉치는 모습만 봐도 그렇게 삭막한 집안이 아니라는 걸 알겠는데 어째서 여기서 이런 건조한 스토리가 나온단 말인가. 더구나 고 사장은 지난번에 내 수저 위에 닭고기를 얹어 준 경력(?)이 있었다. 제일 감정 표현이 없는 그조차도 쉽게 해 준 일을 설마하니 다른 가족들이 안 해 줬을 리가 없지 않나. 그렇지 않나요, 고 사장님?

숟가락을 물고 아예 엉엉 울기 시작하는 아가씨의 모습에 당황해 나는 조심스럽게 할머님과 고 사장을 돌아보았다.

"썩을 년, 밥 먹다 말고 뭐하는 짓이여? 복 달아나, 이년 아. 어여 못 그치는 겨?"

"히잉. 훌쩍, 눈물이 자꾸 나오는 걸 어떻게 해."

"염병할 년. 눈물도 흔해 빠졌다. 겨우 그깟 일 가지고 펑펑 울기나 하고. 니가 어린애여?"

민망함인지 아니면 죄스러움 탓인지 할머님의 고함 소리가 어색하게 갈라졌다. 그사이 고 사장이 담담한 자세로 아가씨의 수저 위에 고기 한 점을 올려 주었다. 그 사소한 행동 하나가 간신히 그쳐 가던 눈물샘을 다시 자극하는 바람에 아가씨는 또 엉엉 소리 내어 울었다. 그렇게 울면서도 그녀는 고 사장이 얹어 준 고기반찬을 야무지게 입에 넣고 있었다. 그러다 체할까 봐 나는 황급히 그녀의 앞에 물 잔을 밀어 주었다.

"천천히 드세요, 아가씨."

"흐끅. 네."

울면서도 밥 먹고 대답도 따박따박 해 주다니 재주도 많은 아가씨다.

짱돌이라고 말한 것과는 달리 그녀는 아직 많이 어리고 많이 여린 사람이었다. 말하지 않아도 그녀가 정에 굶주려 있다는 사실은 너무나 분명하게 드러나고 말았다. 무슨 사연인지는 모르겠지만 그 사실이 괜히 짠하고 가엾어 짧은 순간 나도 같이 울컥 눈물이 날 뻔했다.

'그러고 보니 부모님이 일찍 돌아가셨다고 했지. 쯧쯧, 성격 나쁜 오빠들 틈에서 구박을 받고 자란 게 틀림없어. 할머

니가 이년아, 저년아, 하면서 키우신 게지.'

뵌 지 몇 시간 되지는 않았지만 나는 단박에 할머님의 정체를 꿰뚫었다. 시장 한복판의 작은 밥집, 그리고 욕쟁이 할머니. 처음 들었을 땐 조금 놀랐지만 욕을 얼마나 자연스럽게 잘하시는지 이젠 대강 들으면 거의 욕처럼 들리지도 않았다. 살짝 잘못 들으면 무슨 랩을 하시는 것도 같다.

거기에 할머님은 시누이나 동서에게 하는 것과는 달리 나에겐 절대로 욕을 하지 않으시고 그저 예쁘다, 곱다 칭찬하기만 바쁘셨는데 가만 보니 고 사장에게도 그랬다. 즉, 내가 할머님에게 대접 받을 수 있는 것은 순전히 고 사장의 파워 덕분이라는 의미였다. 과연 그는 할머님에게도 꽤 어려운 손자임이 틀림없는 거다.

"사장님, 일본에서 전화입니다."

아가씨가 타 주는 차까지 얻어 마시고 느지막이 가게를 나섰을 때였다.

내내 기다리고 있었던 건지 줄곧 따라다닌 문제의 비서이자 실장님이신 김우인 씨가 한걸음에 다가와 고 사장에게 척하니 핸드폰을 내밀었다. 물론 그 짧은 사이에도 그는 병아리처럼 고 사장을 졸졸 따라 나오는 나를 무섭게 노려보는 걸 잊지 않았다.

'뚫어지겠네, 진짜. 그래, 댁이 나 미워하는 거 알아. 아는데 제발 내 간만은 노리지 말아 주세요. 누군들 저렇게 무서

운 사람이랑 결혼을 하고 싶어서 한다디?'

내가 고 사장한테 돈을 받았다는 걸 그도 이제는 알게 되었을 터였다.

알기에 사정을 모르는 다른 가족들보다 더 나를 미워할 수 있는 사람이기도 했다. 아마 지금쯤 그는 내 속이 궁금해서라도 시간 내어 한 번 내 가슴팍을 쪼개 보고 싶어 하는 중일지도 모르겠다. 아, 진짜면 큰일인데……. 상상이지만 진실에 가까울까 봐 두려워 나도 모르게 고 사장 옆으로 슬쩍 한 걸음을 떼 놓았다.

"어디지?"

고 사장은 또 진지하게 전화기 속에서 흘러나오는 목소리에 귀를 기울이고 있었다. 그런데 아까와는 달리 분위기가 진지하다 못해 꽤 살벌했다. 눈빛이 얼음장처럼 시리고 유난히 날카롭게 번뜩이는 것이 꼭 누굴 때려죽이고 싶어 하는 중인 것 같았다. 분위기가 어찌나 난폭한지 그 성격 나쁘던 시동생의 눈빛 정도는 저리 가라 할 정도였다. 그리하여 언제 한 걸음 다가섰냐는 듯 나는 황급히 그에게서 두 걸음 정도 물러섰다.

상대편의 말소리가 들리지 않아서 그러는데 혹시 그 때려죽이고 싶은 상대가 나는 아니겠지?

"돈은 찾았나? 모자라? 잡아 와. 오늘 중으로 장 사장 데리고 들어와."

응? 돈? 모자라? 잡아 와?

은행 일은 아닌 것 같은데 대체 무슨 이야기가 이리도 난해한 건가.

"돈 떼어먹고 도망친 사람이 있어서요."

귀를 쫑긋 세우고 훔쳐 듣는 걸 봤는지 비서실장님께서 비웃듯 한마디 툭 내뱉었다.

"단돈 만 원이든 혹은 2억이든 어쨌거나 빌려 썼으면 갚는 게 당연한 거 아닙니까?"

"그, 그렇죠."

"근데 처자식은 놔두고 돈만 가지고 일본으로 튀었다고요. 요즘 왜 이렇게 양심 없는 사람들이 많은지 원. 그런 놈들은 돌덩이 매달아서 동해 바다에 콱 묻어 버려야 하는 건데 말입니다."

꼬, 꼭 그래야…… 하는 것일까나?

갑자기 심장이 떨린다. 고 사장에게 돈을 땡겨 쓴 한 사람으로서 난데없이 생명의 위협이 느껴지기 시작했다. 그런데 우리 고 사장님 은행에서 일한다고 하지 않았던가? 그 은행은 대체 무슨 은행이기에 도망간 사람을 잡으러 다니는 건가. 생긴 건 정말이지 나무랄 데 없는 비즈니스맨처럼 생긴 비서님이 어째서 내뱉는 말은 딱 조폭스러운 거지?

아무래도 나는 정말 머리가 나쁜가 보다. 은행과 사장, 그리고 돈 떼어먹고 도망간 사람을 아무리 연결해 봐도 도무지

답이 나오지 않는 것을 보면 말이다. 삐딱하게 웃는 비서실장을 지나 아직도 전화 통화 중인 고 사장을 보자 다시 머리통이 갸웃 돌아갔다.

'당신, 정체가 뭐죠? 분명히 외계인은 아닌 거 맞죠?'

차라리 외계인인 게 다행일까?

살벌한 전화 통화를 마치고 돌아서는 고 사장을 보는 순간 나는 또 덜컥 겁이 나 간이 바짝 쪼그라드는 걸 느꼈다. 아까는 시동생 될 사람이 무섭다고 그의 등 뒤에 숨었으면서 이 무슨 심경의 변화인지 지금은 그가 더 무서워 죽을 것 같았다. 나 진짜 돈 못 갚으면 이대로 돌덩이 매달고 동해 바다에 수장되는 거 아냐?

'무조건 열심히 하자, 미숙아. 고 사장이 되었다고 할 때까지, 아니 감동해서 돈 안 갚아도 된다고 할 때까지 살신성인의 자세로 미친 듯이 봉사하는 거야.'

어느새 평소의 담담한 눈빛으로 돌아온 고 사장을 보면서 나는 다시 한 번 굳게 다짐했다.

"집으로 가지."

"아, 들어가시는 겁니까?"

"왜?"

"아직 일이 남아서요. 그 '장 사장' 문제도 있고요."

"그럼 잠깐 들렀다 다시 나오는 것으로 하지."

그들은 또 사이좋게 무언가 암호 같은 짧은 대화를 나누었다. 그러더니 고 사장이 나에게 손을 내밀면서 말했다.

"가죠."

"네? 어, 어디로요?"

설마, 동해 바다?

아직도 돌덩이 매달고 바다로 던져지는 상상에 매달려 있던 나는 또 화들짝 놀라서 뒤로 물러섰다. 비서가 '쿡' 하고 웃었다.

"조금 떨어진 곳에 지내는 집이 따로 있습니다. 보고 싶을 것 같아……."

"아, 아니요! 안 봐도 괜찮아요."

어떤 집에서 지내시는지 저 하나도 안 궁금합니다, 고 사장님.

저야 어차피 여기서 할머님이랑 아가씨랑 지낼 텐데 고 사장님이 사는 곳을 봐서 뭘 어쩌겠습니까. 귀신같은 눈치 덕분에 우리가 처음부터 같이 안 살게 될 줄도 저는 이미 다 알고 있었답니다. 제가 해야 할 일 정도는 벌써 빠삭하게 파악했거든요. 비록 가게엔 할머님이랑 아가씨 방밖에 없어서 창고 방 한쪽에 자리를 마련해야 할 것 같지만 그것도 시골 제 방보다 넓으니 괜찮습니다.

"바, 바빠 보이시는데 신경 쓰지 마시고 얼른 일 보세요. 저는 알아서 내려갈게요."

머리통이 떨어져라 고개를 저으며 나는 최대한 조심스럽

게 말했다.

"다음에, 한가하실 때 다시 연락 주세요."

"그렇게 많이 바쁜 건 아닙니다. 바래다 줄 시간 정도
는……."

"아유, 아니에요. 피곤하실 텐데 그 먼 데를 또 어떻게 내
려가시려고요. 그냥 버스 타면 돼요. 기차도 있고요."

"……."

손까지 내저으며 극구 사양하고 나서자 고 사장은 또 뭐라
설명할 수 없는 묘한 눈으로 잠시 동안 나를 가만히 바라보
았다. 화가 난 것도 같고 혹은 한 대 치고 싶은 심정인 것도
같은 복잡 미묘한 빛이 찰나지간 그의 눈동자 위로 스쳐 가
는 것이 보였다. 그러나 막상 터져 나온 것은 그의 주먹이 아
니라 탄식과도 같은 긴 한숨이었다.

"기차역까지는 같이 가도 되겠습니까?"

시간을 확인한 그가 조금 냉랭하게 말했다.

"또 사양할 겁니까?"

"네?"

"갑시다."

언제나 깍듯하고 예의 바르기만 하던 그가 조금 거칠게
손을 잡아끌었다. 긴 다리로 척척 걸어가는 그를 나는 종종
걸음으로 숨 가쁘게 따라잡았다. 다시 차를 타고 기차역까
지 가는 동안 그는 팔짱을 끼고 앉아 말 한마디 하지 않았

다. 무슨 생각에 사로잡혔는지 입술을 굳게 다문 채 한참이나 미간을 찌푸리고 있을 뿐이었다. 아무 이유 없이 죄책감이 몰려왔다. 진짜 화가 난 건가. 아니, 왜 화가 난 건가. 내가 머리가 나쁘긴 하지만 눈치 하나만큼은 그래도 나름 건전한 편인데 아무리 생각해 봐도 그가 화난 이유를 도무지 모르겠다.

"결혼 날짜가……."

"네, 네?"

"다다음 주 금요일 저녁쯤 어떻습니까?"

"결……혼식이요?"

"네. 좋다는 날짜를 세 개쯤 받았는데 그날이 시간 만들기가 제일 편할 것 같아서 말입니다. 어떻게 생각합니까? 그렇게 해도 괜찮겠습니까?"

나는 말없이 고개를 끄덕였다.

어차피 할 일이라면 서둘러 해치우는 것도 나쁘지는 않을 거였다. 처한 입장이 있어서 좋다, 싫다 말할 처지도 못 되지만 그사이에 딱히 할 일도 없으니 다다음 주가 되든, 혹은 그다음 주가 되든 나에겐 별 차이가 없었다. 농번기에 그냥 손 놓고 노는 것보다는 낫지 싶기도 하고.

게다가 결혼식이라고 해 봤자 그냥 가방 싸는 것 말고는 나는 딱히 준비할 것도 없었다. 남들은 혼수니 예단이니 하는 것부터 결혼식장 잡는 것까지 모든 것이 문제라 골머리를 싸맨다는데 무슨 복인지 그런 일에서조차 나는 철저히 자유로웠다. 할머님 말씀처럼 고 사장이 다 알아서 할 테니 오라는 날에 올라와 그냥 아버지 손잡고 예식장으로 걸어 들어가기만 하면 된다.

'아무리 가짜 결혼이라지만 그래도 처음인데 나 너무 대강 시집가는 거 아닌가?'

하도 하는 게 없어서 그런지 괜히 딴생각이 다 들었다.

결혼식은 별거 아니고 그럼 이제 결혼하고 나서는 뭘 해야 하나. 다른 가족들에겐 이런 사실을 끝까지 들키지 않게 조심해야겠지. 아, 그런데 이제까지 시골에서만 살아왔는데 서울에서는 또 어찌 살아야 하나. 할머님 돌보고 식당 일 돕는 거 말고 남는 시간엔 뭘 하면서 지낼까.

'영은이한테 연락이나 해 볼까?'

온갖 쓸데없는 생각 끝에 간신히 서울에 살고 있는 고등학교 동창 영은이를 기억해 냈을 때였다. 무릎 위에 무심히 두고 있던 손 위로 문득 묵직하고 후끈한 기운이 느껴졌다. 무언가 싶어 내려다봤더니 어느새 그의 커다란 손이 조용히 내려앉아 있었다. 순간, UFO가 착륙하는 것을 목격한 것과 거의 비슷한 강도의 충격이 몰려왔다. 아악, 아악! 이것이 시방 무슨 상황이더냐. 이 남자가 왜 갑자기 내 손을 덮치는 것이란 말이냐.

우연이라고는 절대로 생각할 수 없게, 힘주어 꾹 움켜쥐는 손길을 느끼는 순간 흠칫 어깨가 굳는 동시에 고개가 저절로 위로 향했다. 마침 엄지손가락 하나가 부드러운 곡선을 그리며 손등을 쓰다듬고 지나갔다. 손가락은 지나갔는데 궤적을 따라 흐릿한 열기와 함께 무언가 알 수 없는 감정이 진득하게 남아 맴돌고 있는 것이 느껴졌다.

처음 있는 일이었다.

오며 가며 몇 번 손을 잡기는 했어도 이렇게 남모르게 훈훈하고 끈적한 느낌이 든 적은 없었는데 이게 웬 갑작스러운 변고인가 싶었다. 그와 시선이 딱 마주쳤다. 뜬금없이 긴장감이 조성되었다. 언제 그렇게 깊어진 건지 유독 시커멓게 번뜩이는 그의 눈빛이 마치 찌르듯 왈칵 다가와 순식간에 눈동자 가득 맺혀 들었다. 그리고 사로잡혔다. 온몸이 굳은 채 꼼짝도 못하고 나는 속눈썹만 파르르 떨었다.

꿀꺽. 갑자기 목이 타는 것 같았다.

고 사장, 진정하시오. 지금은 대낮이고 여기는 차 안이랍니다. 비서님이 눈을 시퍼렇게 뜨고 지켜보고 계시는 중이란 말이지요. 그리고 더 중요한 건 비록 결혼을 하기는 하지만 우리는 그……런 본격적인 사이가 아니라는 거겠죠? 그, 그러니까 이것은 서, 성, 성추행이 아닌가 싶소이다 마는.

"갑작스러운 일이라 아직 실감하기 힘들다는 거 압니다."

그가 평소와 전혀 다를 바 없는 목소리로 말했다.

"서두르는 만큼 짧은 시간 안에 준비하느라 빠듯하게 움직여야 하는 거며 또 이것저것 신경 쓸 일이 많다는 것도 압니다. 하지만 나를 믿고 따라와 준다면 무슨 일이 있어도 힘들게 하지 않겠습니다. 잘할 겁니다."

"네, 네."

"필요한 게 있다면 망설이지 말고 언제든 얘기해 줘요."

엄지손가락이 다시 느릿느릿 손등 위를 쓸고 지나갔다.

그 짧은 궤적을 따라 온몸의 신경이 통째로 같이 움직이고 있었다. 심지어는 머리통까지 같이 따라다녔다. 덕분에 그가 무슨 말을 하고 있는지 하나도 못 알아들었다. 입도 막히고 귀도 막혔다. 동시에 허파가 풍선이나 된 듯 무한 팽창을 하고 있었다. 지금 필요한 건 뭐? 공기다. 나는 괜히 숨이 막혀서 조그맣게 헐떡거렸다. 긴장의 강도가 너무 컸는지 손바닥엔 벌써 식은땀까지 맺히고 있었다.

남자의 손이 이렇게나 생생하게 인식되기는 또 처음이었다.

손끝에도 감정이 깃든 탓인지 아니면 윤미숙이 음란한 탓인지 얇은 피부 위에서 찌르르 하니 일어난 약한 전류가 내장을 뚫고 콩팥까지 와 닿는 것만 같았다. 나는 숨이 차는데 그의 손은 꿈쩍을 않고. 이대로 있다가는 질식사할 것 같아 슬그머니 손을 꼼지락거려 보았다. 눈치를 살피면서 표 나지 않게 최대한 천천히 잡아 빼자 그의 손이 딱 붙어 같이 따라왔다. 이거 어쩔거나. 으흑, 나 이젠 화장실까지 가고 싶어지려고 한다.

"저, 저기……."

"도착했습니다."

크허억, 감사합니다!

때를 딱 맞춘 비서의 한마디에 바람구멍이 뚫리듯 허파가 뻥 뚫렸다. 손등을 타고 들들 달아오르던 열기도 한순간에 푹 가라앉았다. 어색한 동작으로 나는 냉큼 그에게서 손을 빼내었다. 그리고 도망치듯 후딱 차 밖으로 뛰쳐나갔다. 훅 밀려드는, 햇볕에 달아오른 뜨거운 공기가 가슴 가득 밀려들었다. 한여름의 바깥공기가 이렇게 시원하게 느껴질 수도 있음을 나는 오늘 처음 알았다.

'아아, 허파 떨려.'

표를 사는 척하며 나는 남몰래 손을 흘깃거렸다.

아직도 그가 남긴 열기가 맴돌고 있는 듯 손등이 온통 홧홧하고 숨도 저절로 크게 들이켜졌다. 고 사장 손은 왜 그렇게도 단단하고 후끈했더란 말인가. 그저 손 한 번 잡혔을 뿐인데 아주 숨이 넘어가는 줄 알았다. 부끄럽게시리.

표를 사고 짧은 작별 인사를 나누는 사이에도 슬쩍 달아오른 열기가 채 가시지 않아 나는 차마 고 사장의 얼굴을 똑바로 바라보지 못했다. 그저 곁눈질로 조심스럽게 훔쳐만 보다가 혼자 기차 안에 앉아서야 아쉬움에 입맛을 다셨을 뿐이다.

'듬직한 것이 은근히 좋았지라.'

기차가 출발한 지 한참이나 지난 후, 화장실 변기위에 앉아 나는 눈앞에 손을 대고 뚫어지게 바라보며 뒤늦게 설레어 하고 있었다. 이 손이 쏙 들어갈 만큼 컸던 그의 손이 보기 좋은 떡처럼 눈앞에서 아른거렸다. 크고 강직하고 따뜻한 손이었다. 생전 겪어 본 적 없는, 낯선 긴장감이 찾아들지만 않았다면 계속 잡혀 있어도 좋았을 것 같았다.

"어허, 이것이 웬 야무진 상상을!"

생각하기가 무섭게 또 화끈 얼굴이 달아올랐다.

가슴이 무섭게 콩닥거리고 있었다. 고 사장은 무슨 생각으로 내 손을 잡은 것일까나. 잘해 보자는 뜻이었을까? 아니면 갑자기 내가 예뻐 보였나?

"응? 그러고 보니 내 손이 언제부터 이렇게 예뻤지?"

반짝반짝한 것이, 흔한 손 크림 한 번 발라 준 적이 없는데 오늘따라 왜 이렇게 예뻐 보이는 건가. 고 사장 손이 다녀가서 그런 것일까? 아니 아니, 대낮부터 이런 음란한 상상은 곤란하다. 그냥 내가 원래 예쁘지만 그중에서도 특히 손이 예뻤다고 생각하자.

"당분간 손 안 닦아야지."

화장실 물을 내리면서 나는 바보처럼 헤죽 웃었다.

웃다가 맞은편 벽에 붙어 있는 거울을 발견했다. 거울 속의 내가 볼까지 발개져서는 좋다고 웃고 있었다. 그 모습이 생각보다 훨씬 더 멍청해 보여서 나는 슬그머니 벌어진 입을 다물었다. 그러고 나서 다시 보니 갑자기 간이 철렁해지는 거다.

"아, 미쳤나 봐. 지금 좋다고 웃을 때가 아니잖아. 서로 좋아서 하는 결혼도 아니고 고 사장하고는 처음부터 따로 살 건데."

그의 비서는 나를 싫어하고, 그의 동생은 나를 때려죽이고 싶어 하며, 그의 제수씨와 여동생도 나를 딱히 좋아하는 편이 아닌데다, 결정적으로 그는 나에게 별 관심이 없는데 여기서 좋다고 웃어서 뭘 어쩌자는 건가. 받아먹은 돈 안 갚으면 돌덩이 매달고 동해 바다에 바로 암매장 될지도 모르는 처지이면서.

"윤미숙, 이 바보."

변기 위에 도로 털썩 주저앉아 두 손으로 머리를 감싸 쥐고 나는 탄식했다.

결혼이라는 거대한 주제에 휩쓸려 잠시 처지를 잊을 뻔한 아슬아슬한 상황이 지나갔다. 이러니저러니 해도 내가 아직 빚쟁이 신세라는 사실은 변함이 없었다. 몸으로 때우든 현찰을 가져다 바치든 간에, 어떻게든 갚아야 한다는 사실도 달라진 게 없다. 거기에 고 사장의 목적은 결혼식 자체와 할머님 병수발에 있음이 아니던가.

"그런 사람한테 마음 주어 봐야 나만 힘든 거지."

생각보다 덜 부자이긴 했지만 어쨌거나 처지만 놓고 비교해 보아도 그분은 하늘이고 나는 반지하였다. 감히 우러러볼 상황이 아닌 것이다. 그런 이유로, 나는 당장이라도 마음의 방향을 정해야 할 필요성을 절감하고 있었다.

아직은 무언가가 시작된 것이 아니니 다행이라면 다행이었다.

어떤 감정이 되었든 지금이라면 주워 담고 추스를 수 있었다. 화장실에서 나와 다시 자리를 찾아 앉았다. 파고들듯 의자 위에 깊게 주저앉아 나는 그 문제에 대해 생각하기 시작했다. 지금의 처지와 내게 남은 빚, 그리고 예정된 어떤 결말. 휙휙 스쳐 가는 기차 밖의 풍경과 함께 머릿속을 맴돌던 수많은 생각들도 빠르게 교차하며 스쳐 갔다.

무수한 생각들이 흘러나오고 되돌아가고 제자리에서 맴을 돌다가 산산이 흩어졌다. 완행열차의 속도만큼이나 그것은 꽤 지루하고 끈질기게 이어졌다. 그 순간만큼은 나는 철저히 혼자였다. 혼자였기에 보다 쉽게 모두를 위한 결론을 내릴 수 있었다. 이런 상황은 나에게 조금 익숙한 것이었다. 나에겐 지켜야 할 가족이 있었고 갚아야 할 빚도 있었다. 이제까지 그랬던 것처럼 앞으로도 윤미숙은 계속 혼자서 싸워가야 한다.

"나는 괜찮다. 진짜 진짜 괜찮다. 윤미숙은 천하무적이다."

흐릿한 유리창 위, 유령처럼 계속 제자리에서 맴도는 그 사람의 얼굴을 보며 나는 어느덧 그렇게 중얼거리고 있었다.

모든 일은 예정대로 착착 진행되어 가는 것 같았다.

너무 많은 일들이 거의 동시다발적으로 진행되어서 뭐가 뭔지 잘은 모르겠지만, 어쨌거나 내 입장에서는 모든 일이 순조로운 것처럼 보이고 있는 중이었다.

"아유, 아니에요. 시간도 얼마 없고 또 저는 그런 거 별로 좋아하지도 않으니까 안 해도 괜찮아요."

—아니, 그래도 웨딩 촬영 정도는 다하시는데요. 고 사장님께서도 날짜를 잡으라고 하셔서 이미 사진작가들 스케줄을 뺐는데.

"글쎄, 제가 안 좋아한다니까요. 고 사장님께는 제가 말씀을 드릴 테니까 그냥 안 하는 걸로 해 주세요. 비디오 촬영도 어지간하면 빼 주시고 결혼식 사진도 최소한으로만 잡아 주세요."

—후우, 약혼 파티는 시간이 없다는 이유로 생략하셨고 피부 관리에 헤어 관리도 생략. 피로연 의상은 필요가 없어서 안 하고 싶으신 거고, 예물은 마음에 드는 게 없어서 건너뛰고, 웨딩 촬영은 별로 안 좋아하시고. 결혼식 사진이나 비디오는 최소한으로. 맞나요?

"넵!"

―제가 정말 궁금해서 여쭈는 건데요, 결혼식장에 오기는 하실 건가요?

"네? 물론 가야죠."

태연한 대답에 잠시 정적이 이어졌다. 그러더니 끊는다는 말도 없이 뚝 전화가 끊겼다.

"뭐가 문제지? 그래도 어지간히 할 건 다했는데."

시큰둥하게 중얼거리면서 나는 도로 드러누웠다. 기다렸다는 듯 얼굴 위에 시원한 팩 한 장이 날아와 붙었다. 결혼식이 며칠 안 남았기 때문에 딴에는 관리를 한답시고 읍내의 단골 화장품 가게에 나와 마사지를 받는 중이었다.

"파티는 무슨 파티. 돈 아깝게. 피부랑 머리는 여기서 받으면 되는 거고, 손톱도 다했고. 피로연 옷은 그냥 좋은 원피스 하나 사서 입으면 되는 것이지."

"그래도 이왕 해 주는 건 다 받고 보지 그랬어?"

"아유, 아니에요. 해 가는 것도 없는데 미안하게시리. 더구나 그 동네는 또 엄청 비싸더라고요. 무슨 옷 한 벌에 동그라미가 수도 없이 붙는지 현기증이 다 나던데요. 한복이랑 웨딩드레스 맞추는 것도 무서워서 혼났잖아요."

사실은 한복도 웨딩드레스도 빌려 입으려고 그랬었다. 어차피 한 번 입으면 끝나는 옷들이니까. 그런데 같이 간 동서가 황당하다는 얼굴로 바라보는 바람에 차마 거절을 못하고 그냥 골라 주는 대로 받아 왔다.

예물도 그렇다.

원래는 그것도 생략하려고 그랬으나 동서가 먼저 나서는 바람에 가는 줄도 모르고 얼떨결에 따라간 거였다. 그래도 대강 눈치를 보다가 개중 싼 반지 하나만 할 생각이었는데 고르는 것마다 무슨 무슨 세트라며 팔찌 목걸이 귀걸이가 같이 따라 나오고 그걸 또 수백도 아닌 수천만 원을 부르는 거다. 하도 엄청나서 나는 듣다가 중간에 기절을 할 뻔했었다. 그중에서 제일 비싼 걸 동서가 태연한 얼굴로 권해서 더 그랬다. 알고 봤더니 우리 동서는 이름만 대면 알 만한 재벌집의 무남독녀 외동딸이란다.

차림도 소박하고 하도 해맑게 생겨서 그냥 평범한 집 딸내미인 줄 알았었는데 그 콧대 높은 부띠끄인지 뭔지 하는 곳의 사장까지 알고 지내는 사이더라. 과일 고르듯 손가락으로 반짝이는 보석들을 콕콕 가리키며 '여기 예쁜 거 많아요. 저도 여기서 예물 했어요, 형님.' 할 때부터 알아봤어야 했는데.

결국 몸도 졸아들고 마음도 오그라들어서 나는 마음에 드는 게 없다는 핑계를 대고 간신히 그 자리를 벗어날 수밖에 없었다. 가뜩이나 진 빚도 많은데 수천만 원이나 하는 그것들까지 보태고 싶지 않았다. 어차피 대강 끼는 시늉만 하다가 돌려줄 생각이었지만 말이다. 아, 고 사장이 생각보다 덜 부자라고 했던 말도 취소다. 그는 내 상상보다 아니 상상 그 이상으로 훨씬 더 큰 부자인 모양이었다. 그러니 그 비싼 것들을 거침없이 지르도록 내버려 둘 수가 있는 것이다.

"그래도 웨딩 촬영은 하지 그랬어? 잘 찍어서 걸어 놓으니까 멋있고 좋던데."

"좋기는요. 이 더위에 여기저기 끌려다니면서 사진 찍는 게 뭐가 좋아요? 더구나 무슨 사진을 그렇게 많이 찍는다고 바쁜 사람더러 하루 종일 시간을 내라고 해요."

"에이, 그렇게 따지면 결혼식을 어떻게 해. 큰일 치를 때는 다 그러는 거야. 그것도 나중엔 다 추억된다."

말도 안 된다.

뭔 놈의 추억이 그렇게 비싸다더냐. 말을 안 해서 그렇지, 그 망할 웨딩 촬영인지 뭔지도 수백만 원이나 하는 거였다. 드레스는 어느 디자이너 작품이고 티아라는 어디 것이며 사진작가는 누구라고 아예 딱 찍어 주었었다. 갈아입는 옷만 수십 벌에 잠깐 걸어 보는 보석만도 수억인데 마음에 든다면 판매도 한단다. 거기까지 듣고 무서워서 딱 접었다.

물론, 이런 상황에 대해 고 사장은 아직 별말이 없었다.

내가 말을 전하지 않은 탓도 있지만 웨딩 업체 관계자나 재벌 딸내미인 제수씨에게 몇 마디 말 정도는 들은 게 있을 텐데, 그럼에도 불구하고 그는 내게 따로 연락을 해 설득을 한다거나 다른 특별한 제안 같은 것을 하는 것도 아니었다. 결혼식 준비 때문에 서울에 올라가는 날마다 잠깐씩 통화를 하는데 그때도 그저 '잘 지냈는지', '불편한 건 없는지' 정도만 물을 뿐이다. 이건 내 생각인데, 아마 그도 내 방식이 마음에 든 것은 아닐까?

"웨딩 촬영도 생략했고. 그럼 이제 다한 건가?"

마사지를 마치고 부랴부랴 집으로 향하면서 나는 지난 며칠간의 치열했던 시간들을 돌아보았다. 지난 며칠 동안 나는 그야말로 숨 가쁘게 지내 왔다. 나는 여전히 집안일이며 밭일도 거들어야 했고 입시가 코앞인 막내의 뒷바라지와 거기에 붙여 내 짐 정리는 물론이고 아버지에게 밥하는 법도 가르쳐야 했다. 가끔은 서울에도 다녀왔다.

결혼식 준비와 관련된 일은 대부분 고 사장이나 그가 고용한 측근, 혹은 웨딩 업체 사람들이 다 알아서 했지만 그래도 종종 내가 필요할 때가 있었다. 이미 말했듯이 한복이랑 드레스를 맞출 때나 예물을 고른다거나 할 때 말이다. 뭐, 그것도 올라오라고 연락이 오면 가서 시키는 대로 입어 보거나 고르면 다 끝나는 일이었지만 이런저런 일에 치이고 있는 나에게는 그것조차 꽤 번거롭고 신경 쓰이는 일이 될 수밖에 없었다.

어쨌거나, 그런 모든 일 덕분에 지칠 대로 지쳐 있어서 나는 요즘 자리에 눕기가 무섭게 곯아떨어질 때가 많았다. 어떤 때는 초저녁부터 자기 시작해서 아침까지 단 한 번도 깨지 않고 자는 날도 있었다. 이러다 결혼식장에 들어가기도 전에 쓰러질까 봐 나도 가끔 무섭다.

"미숙 씨!"

뒤뚱거리며 버스에서 내리기가 무섭게 또 낯익은 목소리 하나가 귀를 찔렀다. 또 양재호였다. 아직도 뚜껑 열리는 새빨간 스포츠카를 끌고 다니는 그가 잔뜩 헝클어진 머리 꼴을 하고 마을을 가로지르는 대로 한복판에 떡하니 서 있었다. 내가 피 같은 돈을 대서 갈아 준 차 앞 유리가 한여름의 햇빛을 받아 눈부시게 반짝였다. 너무 반짝여서 눈이 아플 정도였다.

"네, 양재호 씨!"

나, 윤미숙. 더 이상 어제의 내가 아니다.

농협 빚에 허덕이면서 천 원짜리 한 장에도 손을 발발 떤다거나, 쥐뿔 없는 주제에 쇼핑백을 날려 수입차의 앞 유리나 깨는 찌질한 여자는 이제 잊어 다오. 나는 당당한 자세로 양재호와 마주 섰다. 그전에 차를 한 번 흘깃 봐 주는 것도 잊지 않았다. 저 망할 유리 한 장에 거금 백만 원이나 처 들였으렷다.

"저한테 볼일이 더 남아 있으세요?"

"크흠, 이거 말입니다."

툭!

성마른 손길로 그가 봉투를 내밀었다.

"아니, 짜증 좀 부렸다고 진짜로 이럴 건 또 뭡니까? 누가 이딴 돈 바라고 그랬답니까?"

"바라고 그런 거 아니었어요? 저는 그런 줄 알았는데요."

"진짜 너무하네. 사람 그렇게 치사하게 만드는 거 아닙니다. 얼른 집어넣어요. 한 푼이 아쉬운 집이라는 거 잘 아는데……."

알면서 돈 물어내라고 그렇게도 난리를 친 것이란 말이더냐?

장난으로 던진 돌 하나에 개구리가 맞아 죽는다는데 심심해서 한 푼이 아쉬운 나에게 돈을 물어내라고 했다니. 뭐 이런 나쁜 놈이 다 있나. 고 사장에게 2억을 땡기지 않았다면 나는 진즉에 꼼짝없이 돌에 맞아 죽는 개구리 꼴이 될 뻔했다. 그런데도 그는 죄책감 하나 없는 얼굴로 나에게 바짝 다가오더니 돈 봉투를 부채처럼 흔들면서 말했다.

"받아요."

"됐어요. 이미 준 건데 이제 와서 돌려받기도 뭐하네요. 그냥 용돈으로 쓰세요."

"……퇴직금이라도 두둑이 받은 겁니까?"

"뭐, 그렇다고 치죠."

생각보다 대차게 반응하는 것이 조금 마음에 안 들었는가?

그의 입술이 삐뚜름하게 기울어졌다. 미심쩍은 듯 혹은 무슨 의도인지 궁금해하는 듯한 집요한 시선이 내 얼굴을 샅샅이 훑고 지나가는 것이 느껴졌다. 작은 헛기침과 함께 그가 다시 말했다.

"해 달라는 거 다해 줄 겁니다."

"……?"

"남동생 학비도 대 주고 막둥이 대학도 보내고 또 아버님도 자주 찾아뵐 겁니다. 잘할 자신 있습니다. 그러니까 자꾸 튕기지 말고 진지하게 생각을 좀 해 달란 말입니다."

"지, 지금 무슨 말을 하는 거예요?"

"몰라서 묻는 겁니까? 내가 지난번에 결혼하자고 한 거 기억은 합니까? 나 진심이라고 말했죠?"

오 마이 갓.

"나 절대 포기 안 할 거거든요. 이제부터 매일매일 찾아올 거니까 어디 한 번 해 보자고요."

"그쪽 아버님도 댁이 이러고 있는 거 아세요?"

"물론입니다. 모르면 마을금고로 그렇게 쫓아갔겠습니까? 암튼, 그날부로 미숙 씨한테 장가간다고 선언했으니까 알고는 있을 겁니다. 왜요? 우리 아버지한테 그렇게 쏘아붙인 거 이제 후회됩니까?"

천만의 말씀이십니다.

방문만 부수지 말고 아들놈의 뒤통수부터 한 대 쳐야 한다고 말하지 못한 게 미치도록 후회되고 있는 중이오이다. 할 수만 있다면 이 둔한 몸뚱이로라도 직접 이단옆차기를 날려 주고 싶소이다. 곰도 마늘이랑 쑥만 먹으면 사람이 된다는데, 대체 댁네는 뭘 먹고 커서 이렇게 뻔뻔하고 안하무인에 이기적인 동물이 되었는지 참 궁금합니다 그려.

'그냥 이 자리에서 심각한 좌절을 한 번 겪게 만들어 버려?'

나는 정말 진지하게 고민을 했다.

지금 당장 '나 낼모레 시집가는데요.' 라고 고백을 해 버릴까 말까. 만약 사실을 고백해 버리면 양재호는 어떤 반응을 보일까? 얌전히 포기하고 돌아갈까? 아니면 미쳐서 날한 대 치려나? 워낙 날짜가 촉박한데다 소문을 내고 싶지 않다는 이기적인 생각으로 청첩장을 생략한 것이 갑자기 후회가 되었다. 이럴 줄 알았으면 그냥 온 동네에 뿌려 두는 거였는데.

이 좁은 동네에서는 원래 옆집 숟가락 개수도 훤히 꿰뚫을 만큼 서로 간에 비밀이 없는 편이었다. 그 바람에 뉘 집 딸이 시집을 간다고 하면 거기에 얽힌 사정이나 전개 과정까지도 금방 소문이 나 버렸다.

즉, 윤미숙이 돈에 팔려 간다는 사실 정도는 우습게 알려질 수 있다는 뜻이다. 그리하여 나는 부끄러운 마음에 애써 사건(?)을 축소해 보고자 나름 노력하는 중이었다. 청첩을 생략해도 핑계 대기 좋게 금요일 저녁으로 날을 잡은 고 사장에게 감사하면서(농번기에 저 먼 서울에서의 저녁 결혼은 이 시골 주민들에게 무시당해도 싼 거다).

"미숙 씨!"

멍청히 서서 미친 듯이 고민하는데 내 속사정을 전혀 모르는 그가 갑자기 두 손을 뻗어 내 한쪽 손을 꽉 움켜쥐었다. 그러고는 또 눈에 힘을 꽉 주고 말했다.

"나 정말 정신 차렸습니다. 회사도 열심히 나가고 일도 열심히 하고 미숙 씨한테도 잘할 겁니다. 나한테 한 번만 기회를 좀 주세요. 절대로 실망시키지 않겠습니다."

"아, 아니 그렇게 말씀하셔도 이젠 소용이……."

"나한테는 이제 미숙 씨뿐입니다. 다른 여자는 다 필요 없어요. 미숙 씨 말고는 아무도 눈에 들어오지 않아서 나도 미칠 것 같단 말입니다."

"그건 그거고, 일단은 손 좀 놓고 얘기하세요. 누가 보면 어쩌려고 이러세요?"

"미숙 씨이!"

"글쎄, 이거 놓으라니까요!"

공업용 테이프처럼 끈질기게 달라붙는 손을 홱 뿌리치고 나는 되도록 그와 멀찍이 떨어졌다. 얼마나 세게 잡았는지 손목이 다 벌게져 있었다. 그 지경이 되자 이제 나는 귀찮음을 넘어 그가 슬슬 두렵게 느껴지기 시작했다.

안 그래도 파란만장했던 지난 반년간의 일들 때문에 경계심이 극도로 발달된 나였다. 이대로 있다가 또 무슨 험한 꼴을 더 겪을지 모르는 일이었다. 그리하여 나는 그와 마주 선 채 한 걸음 한 걸음 뒤로 물러서다가 후딱 돌아서서 이내 미친 듯이 뛰기 시작했던 것이다.

"미숙 씨!"

"따라오지 마, 이 변태 자식아!"

걸음아, 날 살려라.

가방을 끌어안고 발바닥에 불이 나도록 달려서 나는 재빨리 그의 시야에서 벗어났다. 그리고 마침내 모퉁이를 돌아 집으로 올라가는 골목 어귀에 딱 들어섰을 때였다. 각도 문제였는지 아니면 타이밍 문제였는지 막 차에서 내리는 시커먼 그림자 하나가 빨려 들듯 시야 속으로 파고들었다.

"윤미숙 씨."

"헉!"

고 사장이었다.

뜻밖의 등장에 너무 놀라서 나는 달리던 자세 그대로 굳어 버리고 말았다. 설마, 설마 다 봤나? 길 한복판에서 손목을 잡힌 채 달달거리는 걸 다 봤어야? 상황을 인식하기가 무섭게 두려움이 몰려왔다. 아직까지 양재호가 따라오고 있으면 어쩌나. 그걸 고 사장이 보고 이상한 오해를 하면 또 어찌해야 하는 건가. 굳이 예를 들자면, 불륜의 현장을 목격했다고 믿게 된다거나 하는.

안 되는데, 그러면 진짜 안 되는데.

최악의 상황에 대한 온갖 고민의 회오리가 우르르 몰려와 천둥처럼 머리 꼭대기 위에서 쿵 하고 울려 댔다. 꿀꺽. 목이 탄다. 이 사람은 왜 이렇게 연락도 없이 불쑥 나타나는 걸 좋아해서 내 간 건강에 치명적인 위험을 불러오고 그러는지 모르겠다.

"이, 이 시간에 여긴 어떻게⋯⋯."

무지 오랜만입니다, 고 사장.

근데 가뜩이나 바빠서 얼굴 보기도 힘든 분께서 왜 평일 오후에 이 시골까지 내려오신 거랍니까.

"어, 어떻게 오셨어요?"

"일 때문에 내려왔다가 올라가는 길에 잠깐 들렀습니다."

"아, 네."

그러니까 일부러 나 보러 온 게 아니셨구려.

표정만큼이나 건조한 대답에 약간의 실망감을 느끼려는 찰나, 입고 있는 그의 검은 정장보다 훨씬 더 짙고 날카로운 시선이 슬쩍 내 등 뒤쪽으로 향하는 것이 보였다. 그의 시선을 따라 당연히 내 고개도 그쪽으로 돌아갔다.

"아는 사람입니까?"

골목 밖, 마치 못 볼 것을 본 사람처럼 눈이 잔뜩 튀어나온 몰골로 멈춰 서서 이쪽을 뚫어져라 보고 있는 양재호를 턱 끝으로 가리키며 그가 물었다. 표정도, 목소리도 다행히 평소처럼 담담하고 평온해 보였다. 모, 못 봤나? 골목 밖에서의 그 말 못할 시츄에이션을 모조리 목격당한 것이 아닌가?

다행이다!

바들바들 떨리던 간이 조금 진정 기미를 되찾았다. 쪽팔린 상황은 면하게 되었으니 이보다 더 다행일 수는 없다는 생각에 희미한 안도감마저 찾아왔다. 그런데 동시에 그보다 더 큰 당혹감이 몰려와 멀쩡하던 속을 한바탕 휘젓고 지나갔다.

"크흠. 그, 그냥 이 지역 주민이죠 뭐."

어색하게 웃으며 나는 그렇게 말했다.

이해가 안 가는지 그가 모호한 시선으로 나를 내려다보았다. 그의 등 뒤에서 비서가 어처구니없다는 표정을 감추지도 않은 채 픽 웃고 있었다.

"여긴 좁은 곳이라서 원래 어지간한 이웃은 다 알고 지내거든요. 그, 그러니까 당연히 아는 사람이에요."

"친한 사입니까? 그럼 인사라도……."

"아, 아니에요! 절대로 안 친해요. 그냥 오며 가며 인사나 하는 사이니까 신경 안 쓰셔도 돼요."

제발, 절대로 신경 쓰지 말아 주시오.

싫다는데 굳이 불러 대면시키는 센스를 발휘하면 내가 매우 많이 당황할 수 있어요. 혹은 난데없는 죄책감에 시달리거나. 대체 내가 왜 이런, 마치 바람피운 걸 들킬까 봐 조마조마한 여자의 심정이 되어야만 하는 건가요. 우리 진짜 아무 사이 아니거든요?

진실과는 아무 상관없이 괜히 미안해지는 이상한 증세에 시달리며 나는 부산스럽게 양재호와 고 사장을 번갈아 바라보았다. 두 사람이 서로에게 제발 관심 두지 않기를 바라면서. 그러나 이런 내 간절한 바람과 달리 둘은 서로에게 이미 관심이 생겨 버린 것 같았다. 아니, 적어도 양재호는 그랬다.

호기심과 의문으로 가득한 표정을 하고 그가 성큼성큼 우리 쪽으로 다가오고 있었다. 그러더니 마치 나의 뭐라도 되는 양 내 곁으로 바짝 다가와 서서는 조금 건방진 자세로 자기보다 머리 반 개쯤 더 큰 고 사장을 노려보는 거다.

짧은 순간, 그의 눈썹이 파르르 떨리다 간신히 가라앉았다.

찰나간의 일이었지만 나는 그의 얼굴 위를 스쳐 간 진한 패배감과 약간의 공포를 분명히 목격하고 말았다. 하긴, 왜 안 그렇겠나. 고 사장의 포스와 미모는 어딜 가도 쉽게 볼 수 있는 것이 아닌데 말이다.

"뭡니까?"

세상에나.

양재호의 간덩이가 비정상적으로 비대하다는 사실을 나는 이제 막 깨달았다. 기 싸움에서 이미 진 주제에 감히 고 사장을 상대로 한판 붙어 보자며 나설 줄이야. 비서가 또 픽 하고 웃었다. 그러거나 말거나 우리의 고 사장은 여전히 평온하기 이를 데 없는 얼굴로 손을 내밀고 있었다.

"고은후입니다. 그쪽은?"

"나, 미숙 씨랑 만나는 사이입니다만."

만나긴 누가 만나!

이름을 물었는데 갑자기 없는 관계까지 만들어 폭로하며 그가 내 팔뚝을 잡고 홱 끌어당겼다. 그에 또 나의 소심한 심장은 몸뚱이를 벗어나 땅바닥으로 아예 툭 떨어지고 말았다. 지구가 돌고 있었다. 이 상황에 대해 고 사장에게 뭐라고 설명을 해야 하나. 이 기막힌 감정을 어떻게 전달해야 덜 억울하려나. 마음은 폭풍을 맞은 듯 그렇게 복잡했으나 머릿속은 공포에 질려 이미 하얗게 탈색되고 있었다.

미숙아, 제발 숨을 쉬어!

"그쪽은?"

숨 막혀서 죽어 가고 있는 나의 사정도 모르고 양재호가 다시 도발을 감행했다. 그러자 거짓말처럼 고 사장의 입가에 진한 미소가 떠올랐다. 몸이 굳었다. 미소 짓고 있는 그를 전에도 본 적이 있었다. 가느다란 미소임에도 전신에 온기가 돌 만큼 훈훈하고 아름다웠다. 그런데 지금 그를 둘러싼 분위기는 과거의 그때와 완전히 달랐다.

차고 위험해 보이는 것이, 그때와 같은 사람이라고는 도저히 생각할 수 없을 만큼 낯설어서 무서울 정도였다. 나는 다시 바짝 졸아들었다. 맨발로 칼날을 딛고 섰다고 해도 이보다는 덜 떨릴 것 같았다.

"윤미숙 씨 약혼자입니다."

우둑!

대답과 함께 그는 조용히 팔을 뻗어 내 팔뚝을 잡고 있는 양재호의 손을 꾹 움켜쥐었다. 그리 강하게 쥔 것 같지도 않은데 손아귀에서 우두둑 하는 소리가 새어 나왔다. 손의 고통 때문인지 아니면 새로운 사실에 대한 쇼크 때문인지는 알 수 없으나 양재호의 얼굴이 내가 깨 먹은 그의 차 앞 유리마냥 왈칵 일그러졌다.

"금요일에……."

양재호의 손이 내 팔뚝에서 떨어졌다.

그의 손아귀에서 벗어난 피부가 벌겋게 부어올랐다. 고 사장의 시선이 바람처럼 잠시 그 자리를 스쳐 갔다. 거의 동시에 그에게 잡힌 채 점점 더 아래로 내려가는 양재호의 손이 부들부들 떨리기 시작했다.

"결혼식이 있습니다."

"겨, 결혼? 크윽. 거, 거짓말! 거짓말하지 마."

거짓말이 아니라니까!

너도 눈이 있으면 저 남자를 좀 봐. 어디 거짓말을 하게 생긴 얼굴인가.

"이 여자 선봤어. 약혼자를 두고 선보는 여자가 어디 있어?"

"바로 그 선 자리에서 만났습니다."

내 말이 바로 그거다. 고 사장은 나랑 선본 바로 그 남자란 말이다.

"웃기시네. 누굴 속이려고? 선본 지 겨우 몇 주밖에 안 되었는데 벌써 결혼을 한다는 게 말이 돼?"

"말이 안 될 이유 있습니까?"

"나는, 나는…… 같이 있는 거 한 번도 본 적 없어!"

"나도 그쪽이 미숙 씨랑 같이 있는 거 오늘 처음 봤습니다만. 그쪽에 대해서는, 이 지역 주민이라고 소개하더군요."

기가 막혔는지 양재호가 나를 돌아보았다.

그의 손을 놓아준 고 사장도 나를 향해 눈을 번뜩였다. 두 남자 사이에서 나는 이미 소리 없이 돌이 되어 있었다. 왜, 왜들 그런 의심스러운 시선으로 나를 바라보는 건데요?

"미숙 씨!"

"네?"

"윤미숙 씨."

"네, 네!"

몸이 저절로 펄떡였다.

부동 기립 자세에 대해 배운 적은 없었지만 나는 누구보다 완벽하게 그 자세를 구현해 내고 있었다. 대나무처럼 쫙 펴진 몸에 두 팔까지 딱 붙이고 서서 나는 고 사장을 올려다보았다. 먼저 부른 건 양재호였지만 알 바 아니었다. 그는 그냥 지역 주민이고 고 사장은 나에게 돌덩이를 매달아 동해 바다에 묻어 버릴 수도 있는 약혼자였으니까.

설마, 정말로 그럴 건 아니지요?

'때릴 거야?' 라고 묻듯 나는 매우 애처로운 표정을 지으며 속눈썹을 파르르 떨어 보였다. 고 사장, 전 정말 억울합니다. 인간이 되다만 이 곰 같은 놈하고는 진짜로 아무 사이가 아닌 거 맞습니다, 맞고요! 같은 지역사회에 속해 있다는 것 말고는 우리 사이에 아무런 공통점도 없어요. 그러니까 제발, 한 번만 봐주세요.

나의 간절한 심정을 느낀 것일까?

가만히 나를 내려다보던 그가 문득 긴 한숨을 내쉬었다. 쓸쓸함, 혹은 쓸쓸함이 잔뜩 묻어나는, 전에도 들은 적이 있는 그 탄식 같은 한숨 소리와 함께 잠시 정적이 흘렀다. 잘못한 것도 없는데 이상하게 고개가 점점 아래로 수그러들었다. 요즘 나는 너무 자주 죄책감을 느끼고 있는 것 같았다.

그런 내 머리 위로 뜻밖의 은총이 내려앉았다.

그가 손을 뻗어 조심스러운 동작으로 몇 번인가 내 머리를 슥슥 쓰다듬고 있었다. 고개가 다시 번쩍 들렸다. 아니 놀라서 눈동자만 위로 확 올라갔다. 화, 화가 풀렸나? 표정을 확인하기 위해 애써 고개를 들려는 찰나 이해심 많은, 머리를 쓰다듬던 손이 내 한쪽 어깨 위로 가만히 내려왔다.

그가 고개를 숙여 나와 시선을 맞추었다. 그리고 나는 다시 돌이 되었다. 시선이 마주쳤다고 느낀 순간 착각처럼 희미한 비누 향기가 콧끝을 스치면서 곧 촉촉하고 따뜻한 그 무언가가 입술 위로 가볍게 내려앉는 것이 느껴졌기 때문이었다. 이것은, 이것은……!

펑!

머릿속에서 원자폭탄이 터졌다. 1초? 2초? 초침이 '째깍' 하는 짧은 시간이었다. '째깍' 하는 사이 도장 찍히듯 한 번 꾹 눌리고 깨물렸다. 눌리고 깨물렸다. 눌리고 깨물렸다. 눌리고 깨물…….

'아, 뜨거.'

처음 닿는 순간 나는 분명히 어딘가에 화상을 입은 것 같았다.

입술 끝에서 시작된 홧홧한 통증이 전신으로 빠르게 번져가고 있었다. 그러다 마침내 뇌까지 익었는지 통통한 아랫입술이 그의 하얀 이 사이를 구르다 잘근 깨물리는 것을 느

긴 순간엔 굉음과 함께 버섯구름이 피어오르는 것도 목격했
다.

'어버버버버!'

나는 벙어리 아다다인가.

여긴 어디? 나는 누구?

씨익.

이젠 눈까지 미쳤나?

그의 입꼬리에 흐릿한 주름이 잡혔다 빠르게 사라지는 것
을 나는 분명히 보았다. 혼이 쏙 빠져나가는 것을 생생하게
느끼면서도 매 같은 나의 눈은 그 짧은 미소를 결코 놓치지
않았다. 그러기엔 미소가 너무 사악해 보였다. 입고 있는 검
은 양복과 너무 잘 어울리는 그 엄청 서늘하고 성격 나빠 보
이는 미소!

"아직도 확인할 것이 더 남았습니까?"

머리 꼭대기에서 버섯구름을 피워 내며 돌처럼 굳어 있는
나를 두고 그가 양재호를 돌아보았다.

"아니면 결혼식에 초대라도 해야 하는 겁니까?"

"이, 이……."

상처 입은 눈동자 한 쌍이 세차게 떨렸다.

눈까지 벌겋게 물들인 양재호가 감당할 수 없는 분노 앞에
서 부르르 몸을 떨고 있었다. 화는 났는데 포스가 있어서 차
마 덤비지는 못하고 뭐라 말하자니 딱히 꼬집을 것은 없었는

지 그는 한동안 으드득 이만 갈았다. 그러다 뭐라 말할 듯 나를 보고 고 사장을 보다가 결국 이를 악물고 한 번 더 나를 노려보는 것을 끝으로 홱 돌아섰다.

"나쁜 년!"

남자의 자존심이었을까?

등을 돌리고 선 채 그가 물기 어린 목소리로 소리쳤다.

"더러운 년! 그렇게 가서 네가 잘 살 것 같아? 그럴듯하게 생긴 겉모습만 보고 넘어간 모양인데 두고 봐. 너도 버림 받고 울 날이 있을 거다."

"뭐, 뭐예요?"

"후회할 거라고!"

그리고 그는 골목 밖으로 사라졌다.

'후회할 거라고오오오.' 하는 긴 꼬리를 남기고. 갈 테면 그냥 갈 것이지 '후회할 거라고오오오.'는 뭐란 말인가. 나를 저주하겠다는 뜻인가?

"기가 막혀서!"

너무 어이가 없어서 나는 후다닥 사라지는 그의 초라한 뒤통수를 한동안 빤히 바라보아 주었다.

본의 아니게 상처를 주었다는 사실 따위는 저 너머에 두고 이대로 쫓아가서 한 대 패 주고 싶은 격한 충동을 느낀다면 내가 너무한 건가? 솔직히 하나도 안 미안하다. 불쌍하지도 않다. 오가는 것도 맘대로 하고, 성희롱도 맘대로 하더니, 상처도 혼자서 멋대로 받아 버린 그에게 나누어 줄 동정 따위는 애초부터 없었다.

그냥 곱게 갔어도 없었을 텐데 저주까지 하고 가는 바람에 이제는 동정은커녕 한이 맺히려고 한다. 이럴 줄 알았으면 평소에 접근할 때마다 돌을 던져서라도 멀리 쫓아 버리는 거였는데 말이다.

"윤미숙."

양재호가 사라진 골목 밖을 바라보며 한참이나 멍하니 서 있자 고 사장이 두툼한 손으로 내 어깨를 툭 잡아챘다. 그런데 어째 목소리에서 높낮이가 거의 느껴지지 않았다. 살벌하다. 심상치 않은 느낌에 벌써부터 등줄기를 타고 소름이 올라왔다. 돌을 던질 생각도 못하고, 도망도 못 가고, 덜덜 떨면서 나는 주춤주춤 돌아섰다.

"딸꾹!"

아까 키스, 아니 뽀뽀를 당할 때 내가 그의 눈을 본 적이 있었던가? 아마 못 보았던 것 같다. 그렇다면 혹시 그때도 그는 이런 눈을 하고 있었을까?

금방이라도 살얼음이 뚝뚝 떨어질 것처럼 시린 눈빛으로 그가 나를 바라보고 있었다. 까맣다 못해 시푸르게 보이는 눈동자 위로 번뜩이는 한 줄기 섬광이 스쳐 갔다. 그것은, 맹세코 분노였다. 날카롭게 뻗어 올라간 눈썹, 차가운 눈빛, 굳게 다물린 입술. 그 모든 것이 그 사실을 증명하고 있었다.

"웨딩 플래너가 그러더군."

천천히 한 걸음 다가서면서 그가 입을 열었다.

"도무지 결혼을 하려는 사람이 아닌 것 같다고. 약혼도, 예물도, 흔한 사진조차도 남기고 싶어 하지 않아 한다고. 그 남자 때문이었나?"

"그, 그게 무슨……."

"아니, 대답하지 마. 그딴 건 어차피 아무 상관이 없으니까."

그도 자존심에 상처를 입은 것일까?

고 사장은 다시 변해 있었다. 내내 예의 바른, 신사적이었던 사람이라고는 믿어지지 않을 정도로 위험한 분위기를 전신에서 풀풀 풍기면서 거침없이 나를 몰아세웠다. 당연히 나는 겁에 질렸다. 아닌 게 아니라, 정말 무서워서 딱 죽을 것 같았다. 스치듯 보았던 그 성격 나빠 보이는 미소가 다시 그의 입가에 걸려 있었다. 그는 더 이상 내가 알던 그 고 사장이 아니었다. 누굴까, 이 낯선 남자는?

"받아."

단 한 걸음 만에 코앞까지 바짝 다가온 그가 양복 안주머니에서 작은 상자를 하나 꺼내 내밀었다.

"마음에 드는 게 없다고 했다지?"

"네? 그, 그건……."

예물 이야기인가?

그거라면 안 그래도 말을 하려고 했었다. 그러니까 다들 너무 비싸서 도저히 살 엄두가 안 났다는 말을 해야 했다. 진짜 부부가 되는 것도 아니고 그냥 결혼만 하는 건데 굳이 그런 비싼 것까지 할 필요는 없다고 생각했다는 말도 해야 한다. 그런 것까지 하지 않아도 나는 고 사장이 바라는 일을 잘 해낼 자신이 있었다.

변명이 아니라 나는 진심으로 최선을 다할 생각이었다. 결혼 비용도 최대한 아껴 주고, 결혼식도 잘 해내고, 할머님도 온 힘을 다해 잘 보살피기로 진즉부터 결심하고 있었다. 내가 그에게 해 줄 수 있는 건 고작 그런 일 정도뿐이었으니까.

하지만 '어차피 아무 상관이 없다.'는 한마디가 내 입을 막아 버렸다. 무언가 큰 실수를 한 것만 같아 나는 아무 말도 할 수가 없었다. 어쩌면 나는 그냥 하라는 대로 다했어야 했던 것인지도 몰랐다. 내 결정이 사실은 배려가 아니라 그의 품위를 깎아내리는 어리석은 행동에 불과했을 수도 있었다.

그러고 보니 나는 잠시 잊고 있었다.

할머님을 비롯한 그의 다른 가족들은 우리 사이의 거래를 전혀 모르고 있다는 그 사실을. 역시 내 실수가 맞았다. 나는 생략하고 줄이고 사양해서는 안 되었다. 정말로 사랑해서 결혼하는 사람들처럼 잔뜩 들떠서 뭐든지 다하고 싶어 하는 척했어야 했는데 웨딩 플래너에게 '도무지 결혼을 하고 싶어 하는 사람 같지가 않다.'는 말을 듣게 했다. 제3자인 그들의 눈에도 이상한데 가족들이나 다른 사람의 눈엔 얼마나 더 이상하게 보였을까.

"죄, 죄송해요."

사태를 깨달은 나는 한껏 당황해서 고개를 숙이고 말았다.

"제가 상황을 착각했어요. 사실은……."

"받아, 그거라면 마음에 들 거야."

"……이게 뭔데요?"

멍청히 되묻는 나에게 그는 대답 대신 그 작은 상자의 뚜껑을 열어 보였다. 에메랄드 컷. 차가운 백금 위에 박힌 네모난 다이아몬드가 오후의 빛을 사방으로 반사시키며 그 화려한 모습을 드러내었다. 푸른빛이 돌 만큼 지나치게 깨끗한 빛, 주위에 점점이 늘어선 작은 보석들과의 조화, 그리고 세심하면서도 완벽하게 이루어진 세팅이 단번에 시선을 사로잡았다.

"화려하고 아름다운 보석이지."

멍하니 반지를 바라보는 내게 그가 말했다.

그러곤 보기만 해도 어마어마한 반지를 뽑아 들고 내 손을 잡더니 직접 약지에 끼워 넣으면서 덧붙였다.

"정복자들이 좋아하는 보석이라고 하더군. 아다마스(Adamas),

결코 정복되지 않는다. 건방져, 누구처럼."

누구처럼.

냉정한 한마디를 끝으로 그의 온기가 손끝에서 떠나갔다.

"어울리는군. 예식 때 보지."

그가 돌아섰다. 그리고 나는 남겨졌다. 반지와 함께.

5.
결혼식

해 보나마나 게임은 끝났어요.

—Rocky Balboa(2006) 中—

"우와, 예쁘다아."

"세상에. 너무 예쁘세요, 형님."

"참말 곱다잉."

"그 봐라, 내 말이 딱 맞았지? 덕순이 너는 나한테 옷 한 벌 내야 하는 겨."

"암만! 이런 손부를 보게 해 줬는디 내가 그까짓 거 하나 못해 줄까. 그려, 애썼어. 춘자 니가 최고여."

주위에서부터 왁자지껄한 웃음소리가 터져 나왔다.

곱게 화장을 하고 화려한 웨딩드레스를 입은 나를 둘러싸고 여자들이 오글오글 모여 있었다. 아가씨는 아까부터 내 드레스의 치맛자락을 만지작거리며 연방 감탄을 터뜨리고, 동서는 화장이 잘된 내 얼굴에서 시선을 떼지 못했으며, 휠체어에 앉으신 할머님과 정애 할머니는 손을 꼭 잡은 채 사이좋게 농을 주고받았다. 그 외에도 내가 알지 못하는 손님들이 끊임없이 대기실을 들락거렸다.

여자, 남자, 어른, 아이.

평일 저녁 결혼식임에도 불구하고 무슨 손님이 이리도 많이 온 건지 넓은 대기실은 물론이고 밖의 홀까지 몰려든 인파로 온통 북적이고 있는 것 같았다. 물론, 대부분이 고 사장의 손님들이었다. 아니, 사실은 거의 전부다. 시골에서는 달랑 우리 가족과 정애 할머니만 올라왔으니까. 덕분에 나는 아직도 고 사장의 얼굴조차 보지 못하고 있었다. 어제 시골에서 올라와 머무는 호텔 앞에서 잠깐 보고는 끝이었다.

"신부님, 여기 좀 보세요."

아침부터 내내 따라다니던 사진작가가 펑펑 플래시를 터뜨려 가며 주위를 빙빙 돈다. 그렇게 찍어 대고도 또 찍을 게 남았는지 그는 때마다 계속해서 내게 이런저런 요구를 하곤 했다. 거기에 종종 비디오 조명까지 들어오자 시원한 에어컨 바람을 맞고 있다는 사실을 잊을 정도로 얼굴이 뜨뜻해졌다.

"아주버님 찾으세요?"

동서가 귀여운 미소를 지으면서 불쑥 물었다.

미주가 안 보여서 잠깐 두리번거렸더니 그걸 본 모양이었다. 결혼 준비하느라 몇 번 같이 다닌 덕분에 우린 처음보다 많이 가까워져 있었다. 그리하여 나는 그녀가 굴지의 재벌집 딸내미라는 사실도 알게 되었고 뒤이어 한국무용을 전공했다는 사실도 알아냈다. 가끔 할머님을 위해 친구들과 함께 춤을 추고 창을 해 드린다는 사실도.

"아주버님께서는 지금쯤 기자를 만나고 계실 거예요."

"예? 기, 기자요?"

"네. 보안도 중요하지만 사진이랑 짧은 기사 정도는 내야 하니까요. 우리 은준 씨랑 나란히 있는 모습도 찍어 갔어요. 안전을 위해서 우리 여자들 사진은 다 뺐고요. TV엔 보도 자료만 낸대요."

듣기만 해도 두려움이 엄습하는 이야기를 동서는 참 해맑은 표정으로 자세히 전해 주었다. 기자라거나, TV라거나 하는 이야기는 내겐 마치 저 하늘 너머 딴 세상의 이야기만 같았는데 그것이 그녀에겐 흔한 일상이나 되는 듯 별로 놀라는 기색도 없었다. 그래서 나도 어지간하면 놀라는 티를 내지 않으려고 무지 애를 쓰면서 간신히 고개를 끄덕일 수밖에 없었다.

하룻밤 사이 알게 된 일이지만 사실 고 사장은 꽤 유명한 사람이었다. 정애 할머니의 말처럼 그는 은행에서 일하고 있는 게 맞긴 했다. 다만, 그 은행이 그의 소유라는 사실만 달랐을 뿐이다. 동서의 말에 따르면, 그는 처음 투자가로 시작해 차츰 규모를 늘리다가 지금은 금융사와 저축은행까지 세운 신화의 주인공이자 업계의 다크호스란다. 특히, 현금 동원력이 발군이라고 했다.

그 기적적이기까지 한 일련의 발전 과정에 대해 비서는 '금융 그룹으로 가는 전 단계'라고 표현했고 시동생은 '규모 있는 돈장사'라고 요약했으며 시누이는 '큰오빠는 일벌레'라고 투덜거렸다. 그리고 시할머니는 '갸가 원래 공부를 엄청이 잘했어. 졸업할 때까지 돈 한 푼 안 들었당께.'라고 하셨다.

어쨌거나 하룻밤 사이 나는 고 사장에 대해서 지난 한 달 동안보다 더 많이 알게 되었다. 그는 어렸을 때부터 공부를 워낙 잘해 전액 장학금만 받으면서 대학을 졸업했고 유학도 다녀왔고 돈도 많이 벌었으며 일을 좋아하는 일벌레에 심지어는 여자들에게도 인기가 많은 사람이었다.

'고 사장님이요? 모든 여자들의 로망이죠.'

한참 전에 들은 웨딩 플래너의 말이 아직도 생생하게 귓가에 남아 있었다.

돈 있고, 능력도 있고, 머리 좋고, 거기에 인물까지 죽여준다. 그런데도 성격이 나쁘지 않고 매너도 괜찮았다. 그에게 없는 건 오직 여자뿐이었다. 당연히 여기저기에서 여자를 소개하겠다는 사람들이 줄을 섰고 그에게 직접 대시하는 용감한 여자들도 꽤 많았을 거였다.

그 부분에 대해 웨딩 플래너는 그야말로 입에 침이 마르고 닳도록 긴 설명을 곁들였었다. 그러더니 결국엔 '그런데 어쩌다가 이런······.' 이라는 말과 함께 안타까운 시선으로 나를 한 번 스윽 훑어 내리는 거다.

어찌나 노골적으로 안 됐다는 표정이었던지 하마터면 나도 모르게 '죄송합니다.' 라는 말이 나올 뻔했다. 아무튼지 간에, 그만큼 고 사장의 선택에 대해 모두 말들이 많은 것 같았다. 그래서 요즘 이 동네엔 그의 결혼에 관한 뜬소문이 하나둘씩 돌고 있는 중이란다. 그중에 목하 주목을 받고 있는 몇 가지 설에 대해서도 그녀는 친절하게 가르쳐 주었다.

할머님이 살날이 얼마 남지 않았다는 사실을 무기로 사용해 강제로 밀어붙였다.

약점을 잡혔다.

사실은 지역 은행을 소유한 유지의 딸이다.

기타 등등. 그러나 개중 가장 지지를 받고 있는 설은 따로 있었으니······.

"저기요, 형님."

"네, 네. 왜요?"

"궁금한 게 하나 있는데요. 이런 거 물어도 되는지."

"뭔데요?"

"형님, 혹시 임신하셨어요?"

바로 이거다.

반반한 미모에 홀려 순간의 충동으로 덮쳤는데 여자가 임신을 했다! 그래서 본래 가족애가 끔찍한 고 사장은 책임을 지기 위해 울며 겨자 먹기로 결혼을 감행하기에 이르렀다. 뭐 이런 황당한 설이 대세란다. 나도 모르게 시선이 배로 내려갔다. 흰 드레스에 감싸인 납작하고 판판한 아랫배에 살짝 힘이 들어가려고 한다. 혹시 내가 특이, 아니 이상체질이라서 뽀뽀만으로도 임신이 된 건 아니겠지? ……미쳐 가는 건가, 윤미숙?

"아, 아니요!"

어색하게 웃으며 나는 강하게 고개를 저었다.

나 윤미숙, 아직 제대로 된 키스 한 번 못해 본 모태 숙맥으로서 그런 과한 오해만큼은 정중하게 사양하고 싶소이다. 거기에 내가 동정녀 마리아도 아니고 달팽이 같은 자웅동체도 아니라는 사실 정도는 늘 유념하면서 살고 있으니 앞으로도 혼자서 임신을 하는 일은 절대로 없지 않을까 한답니다.

"그런 거 절대 아니에요."

"아, 그렇구나. 저도 그건 아니라고 생각했어요. 선본 지도 얼마 안 되었으니까. 근데요, 형님."

"네, 말씀하세요."

"제가 아랫동서인데 왜 자꾸 존대를 하세요? 말씀 편하게 하시라니까요?"

"그게…… 다, 다음에요. 다음에 할게요."

이번에도 나는 매우 어색하게 웃었다.

그럴 수밖에 없었다. 내가 무슨 배짱이 있어서 감히 재벌집 딸내미이자 저 대단하신 고 사장의 제수씨께 반말을 할 수 있단 말인가. 내가 고 사장의 진짜 마누라가 되는 거라면 아무 상관이 없는 일이겠으나 그게 아니고, 돌아가는 상황을 보니 고 사장은 내 상상의 한계치를 이미 백만 광년이나 초월한 저 너머에 계신 분인데다, 결정적으로…… 나는 고 사장뿐만 아니라 그녀의 남편도 무서웠다.

'진짜 동서 대하듯 했다가는 아마 두 형제가 동시에 나를 잡아 죽이려 들 것 같지 않은가요?'

시선이 뚝 떨어졌다.

손가락 위에서 고 사장이 끼워 놓고 간 반지가 조명을 받아 눈부시게 반짝이고 있었다. 그걸 보자 가슴이 꽉 막힌 것처럼 답답해지더니 곧 숨도 못 쉬게 묵직해졌다. 이 반지가 손가락에 끼워진 그날부로 나는 고 사장에게도 미운털이 콱박힌 상태였다. 그는 내가 돈 때문에 사귀던 애인(이 무슨 끔찍한!)을 버리고 자신과 거래를 했다고 믿기 시작한 듯했다. 그런 이유로, 전엔 그냥 관심만 없었던 것뿐이라면 그날 이후로는 아예 노골적으로 외면을 하고 있었다.

이제 이곳에서 나를 상대해 주는 건 오직 할머님과 아가씨뿐이었다. 물론, 같이 놀아 주는 건 아니지만 이 재벌집 딸내미인 동서도 아직은 내게 그리 큰 유감이 없어 보였고. 문제라면 이 세 여자만 빼고 고씨 집안의 나머지 남자들과 그들의 측근들이 나를 아주 미워한다는 사실이었다. 가끔은 생명의 위협을 느낄 정도로. 즉, 받은 돈을 고스란히 토해 놓지 못하는 이상 나는 살아남기 위해서라도 어떻게든 최대한 몸을 사려야만 하는 처지가 되어 버렸다는 뜻이다.

"언니!"

"어, 미주야."

"오빠 왔어."

어딜 간다는 말도 없이 사라졌던 미주가 제 오빠를 앞세우고 나란히 대기실로 돌아왔다. 사라진 건 한참 전이었는데 이제야 발을 질질 끌면서 들어오는 걸 보니 주위의 눈치를 살피며 내 곁에 서 있기만 하는 일이 어지간히도 싫었었나 보다. 하긴, 손님이라고는 해도 아는 사람 하나 없는데다 살갑게 말을 걸어 주는 사람도 없었으니 심심하기는 했을 거다. 우리 집 애들이 들어오자 동서와 아가씨가 오붓하게 시간을 보내라며 자리를 비켜 주었다.

"혼자 두고 가서 미안. 헤헤."

와중에도 혼자 남아 있을 내 생각을 조금 하기는 했는지 미주가 혀를 삐죽 내밀면서 웃었다. 그러는 걸 못 본 척하고 나는 가만히 서서 나를 물끄러미 바라보고 있는 미준이를 향해 반갑게 웃어 주었다.

"이제 오는 거야?"

"으응."

"벌써 시험공부 시작해서 바쁘다며?"

"조금. 실습은 다 끝났으니까 이제 시험 준비해야지."

"그래, 열심히 해. 옷 잘 어울린다."

내 말에 미준이는 제가 입고 있는 양복을 한 번 내려다보고는 조금 어색하게 웃어 보였다.

시집을 가는 턱으로 나는 온 가족에게 옷을 한 벌씩 해 입혔다. 아버지와 미준이에게는 좋은 양복을, 미주는 귀여운 원피스를 해 줬는데 딴에는 큰맘 먹고 질렀음에도 불구하고 더 화려한 다른 하객들 덕분에 도대체 돈을 들인 태가 나지 않았다.

다행히 우리 애들이 곱게 생겨 주어서 망정이지 안 그랬으면 영락없이 평소 입던 옷 주워 입고 온 것처럼 보일 지경이었다.

"근데 누나……."

"응. 왜?"

"결혼, 너무 빠른 거 아냐? 얘기 들어 보니까 선보고 한 달도 안 된 거 같던데 굳이 이렇게 빨리 할 필요가 있었나 싶어서."

"아, 그게⋯⋯."

대답 대신 나는 저만치 밖에서 정애 할머니와 이야기를 나누고 계신 고 사장의 할머님을 바라보았다. 그러곤 누가 들을세라 작은 목소리로 말했다.

"그 사람 할머님이 많이 편찮으시잖아."

"그거랑 결혼이랑 무슨 상관인데? 나 정말 궁금해서 그러는데. 누나가 좋아서 하는 결혼인 거 맞아?"

"얘가! 왜 그런 소리를 하니?"

"그러게. 나도 왜 이런 생각이 드는지 잘 모르겠어. 기분도 그렇고 그냥 자꾸 눈에 밟히는 게 많다. 너무 갑작스러워서 그런가?"

"그, 그런 거겠지."

직감인가 아니면 눈치인가.

툭 치고 들어오는 한마디가 너무 예리해서 나도 모르게 고개를 돌렸다. 미준이에게 결혼소식을 전한 것은 내가 마지막 학기 등록금과 생활비를 보내 준 바로 그날 저녁이었다. 평소 오던 것보다 너무 많은 돈이 한꺼번에 들어오자 녀석이 득달같이 전화를 해서는 한바탕 닦달을 하는 바람에 온 가족이 차례로 돌아가면서 여차저차 간증을 하게 되었던 것이다.

그러고 난 뒤엔 형사나 된 듯 또 고문 같은 질문들을 퍼부어서 나를 기함하게 만들었다. 뭐하는 사람인지, 몇 살인지,

가족이며 학력은 어찌 되는지 기타 등등. 온갖 호구조사를 하더니 그러고도 안심이 안 된다며 직접 고 사장을 만나 보겠다고 성화도 부렸었다. 거기서 끝이면 말을 안 한다.

결혼 직전에 직접 본 후부터는 더 수상하다는 말을 하면서 자꾸 딴지를 걸기 시작했다. 나처럼 아무것도 가진 것 없는 여자와 결혼을 하기에는 그가 너무 잘나고, 너무 부자에, 너무 유명하다는 이유에서였다. 거기에 사람이 너무 차 보이기도 하고.

"젠장, 무슨 생각을 하는지 알 수가 있어야지. 오다가 잠깐 봤는데 들뜬 기색 하나 없더라고. 마치 남의 결혼식에 온 사람처럼."

"긴장해서 그렇겠지."

"후우, 모르겠다. 마음 같아서는 좀 더 평범한 사람이랑 했으면 좋겠는데. 한 1, 2년쯤 뒤에."

"1, 2년 뒤에?"

"응. 그러면 내가 번 돈으로 혼수라도 해 줄 수 있을 것 아냐."

시집간다고 감성이 예민해졌나?

갑자기 콧잔등이 시큰해졌다. 아무것도 없이 맨몸으로 가는 내 모습이 저도 조금 마음에 걸렸는지 미준이는 그렇게 살짝 속내를 드러냈다. 그 모습이 고마우면서도 한편으로는 미안하기도 해 나는 부러 더 환하게 웃어 보였다.

"괜한 소리한다. 그런데 신경 쓰지 말고 이제부터는 너 장가갈 돈이나 열심히 모아. 누가 그러는데, 요즘 여자들은 '개룡남들' 딱 싫어한다더라. 자기 집만 챙기려고 든다고. 그러니까 우리 걱정은 말고 네 앞가림만 하면서 살아."

"쳇, 염치가 있지 어떻게……."

"또 그런다. 난 결혼하니까 괜찮고, 아부지도 굳이 농사 안 지으셔도 되고, 미주도 대학만 합격하면 이제 걱정 없다니까. 그러니까 너도 공부나 열심히 해서 너 하고 싶은 대로 하고 살아. 그래도 돼. 아무도 뭐라고 안 해."

기가 막힌 일이지만 고 사장의 돈은 확실히 우리 가족의 미래를 바꾸어 놓았다. 미준이는 더 이상 돈 걱정 없이 공부만 할 수 있게 되었고 농협 빚을 다 갚은 덕분에 아버지의 농사일에도 한결 여유가 생겼다. 미주도 요즘엔 기가 살아서 팔팔 날아다니고.

'그래, 이제 나만 잘하면 돼. 잘하자, 윤미숙.'

비록 당사자에게 무시를 당하고 있는 처지이긴 하지만 그래도 나는 맡은(?) 일에 최선을 다하기로 결심했다. 어떻게든 반드시 갚아야 할 돈이라는 생각에 앞서 우선 그런 일들을 가능하게 만들어 준 고 사장이 너무 고마웠기 때문이다.

"신부님, 곧 식이 시작되니까 준비해 주세요."

남매들끼리의 오붓한 기분을 더 만끽하기도 전에 방해꾼

이 툭 나타나 재촉을 해 댔다.

마지막까지 기웃거리던 몇몇 하객들과 함께 동생들이 대기실에서 우르르 쫓겨 나가고 곧이어 드레스 잡아 줄 사람들이 나란히 곁에 섰다. 그때까지 나는 멀뚱거리고 앉아 손에 쥔 부케 다발만 바라보고 있었다. 워낙 폭풍처럼 준비되고 진행된 결혼이라 아직 실감이 안 나서인지 별로 떨리지도 않았다. 설사 떨린다 해도 맨 처음 선 자리에서 고 사장을 목격했을 때만 할까마는.

"신부 입장!"

벙어리 심봉사처럼 누군가의 손에 이끌려 대기실을 나서기가 무섭게 한마디 외침과 함께 장엄한 음악이 울려 퍼지기 시작했다. 그러고 나서 보니까 내가 어느새 아버지의 손을 잡고 있었다. 설마, 이대로 시작인가? 고개가 황급히 정면으로 향했다. 아니나 다를까, 저만치 안쪽에서 턱시도를 말끔하게 차려입은 고 사장이 반듯한 자세로 서서 기다리고 있는 것이 보였다.

문득 눈이 부신다. 고 사장의 자태가 오늘도 여지없이 남달라서.

돌아가신 시어머니는 뭘 자셨기에 저런 아들을 낳으셨을까. 웨딩 플래너의 말처럼 잠시나마 저 미끈한 남자의 곁에서는 나는 진정 나쁜 여자였다. 저런 남자는 세상의 모든 여자를 위해서 우상처럼 총각으로 늙어 주거나 딱 저만큼 잘난 여자를 만났어야 했다.

"잘 살아야 헌다."

폼 나는 양복으로도 햇볕에 탄 까만 피부를 감추지 못해 오늘따라 더 시커멓게 보이는 얼굴로 아버지가 말했다.

"어른께 잘하고. 힘들어도 참아 가면서 사는 겨."

"네."

그래도 딸이라고 걱정이 되시는가.

어쩐지 십 년쯤 더 늙어 보이는 그 얼굴을 향해 나는 소리 없이 웃어 주었다.

"걱정 마세요. 잘할게요."

"그려, 잘해야지."

잔뜩 긴장한 얼굴로 앞만 보고 걸으면서 아버지는 내내 그 말만 했다. 그래서 조금 서운해지려는 찰나 단단히 잡고 있던 팔짱이 스르르 풀렸다. 언제 이렇게 가까워졌는지 고 사장이 벌써 코앞에 서서 내 손을 잡아채고 있었다.

"자, 잘 부탁하네."

불시에 내 손을 빼앗긴 아버지가 당황한 얼굴로 조금 더듬거렸다.

그런 것을 못 본 척하고 고 사장은 반듯한 자세로 아버지에게 고개를 숙여 보였다. 적어도 겉으로만 보면 나무랄 데 없이 예의 바른 사위의 인사 같았다. 죽 당겨진 내 손이 이젠 고 사장의 팔뚝 위에 얹혀졌다. 그리고 우리는 단 한 번도 시선을 마주치는 법 없이 또 음악에 맞춰 천천히 걸었다.

너무 황송한 탓인가.

아버지 때와는 달리 그의 팔을 잡고 있는 손에서 자꾸 힘이 빠지려고 들었다. 손에 들고 있는 부케도 갑자기 너무 무겁게 느껴졌다. 나는 조금 불안한 시선으로 곁에서 걷고 있는 그를 흘깃 바라보았다.

'제가 지금 끌려가고 있는 건가요? 아무래도 너무 빨리 걷고 계신 것 같습니다, 고 사장님.'

망할 웨딩드레스.

고 사장은 긴 다리로 척척 걸어갔고 나는 길게 늘어지는 웨딩드레스를 붙잡은 채 그에게 매달려 다다다 쫓아갔다. 그제야 나는 그가 버진 로드 한복판까지 걸어 나왔다는 사실을 깨달았다. 어쩐지 생각보다 길이 너무 짧게 느껴지더라니.

혹시 고 사장은 퍼포먼스에도 강한 것인가.

혼주석에 앉으신 할머님이 좋다고 연방 웃음을 터뜨리고 계셨다. 근처에선 시동생이 여전히 살벌한 얼굴에 인상을 쓰고 있었고 나를 싫어하는 비서는 사회자석에 서서 마치 다 알고 있는 상황이라고 말하듯 삐딱하게 웃고 있었으며 아무것도 모르는 아가씨와 동서는 열심히 박수를 치고 있었다. 그리고 나는……

쪼옥!

불시에 입술 위를 스쳐 간 낯익은 향기 하나에 그대로 돌이 되고 말았다. 등 뒤에서 '와아' 하는 사람들의 함성, 혹은 웃음소리가 울려 퍼지고 있었지만 알 바 아니었다. 나를 빤히 내려다보고 있는 고 사장의 눈빛과 그의 촉촉한 입술 때문에 나는 선 채로 가루가 되어 흩어지고 있는 중이었으니까.

"신혼여행이 늦어져서 어떻게 해요."

"괜찮아요. 바쁘시다는 거 잘 아는데요, 뭘."

"어휴, 큰오빠는 너무 일만 해서 큰일이에요."

"결혼식을 너무 급하게 잡아서 그렇대요, 아가씨. 그래도 다음 주에는 갈 수 있다니까 불행 중 다행이에요. 그죠, 형님?"

빙긋 웃으며 나는 말없이 고개를 끄덕였다.

불행 중 다행이 아니라 다행 중 다행이었다. 워낙 서둘러 하는 결혼이라 날짜를 제대로 빼지 못해 신혼여행이 조금 늦어진다는 사실을 나는 진즉부터 들어 알고 있었다. 주말에 일을 몰아서 하면 그다음 주부터는 시간을 낼 수 있다고 했었던 것 같다. 따라서 신혼 첫날밤은 그냥 호텔에서 자고 고 사장은 내일 늦게 출근을 한단다.

사실, 나는 신혼여행 같은 거 안 갔으면 했지만 할머님이나 다른 가족들이 이상하게 여길까 봐 그냥 '그러마.' 하고

있는 중이었다. 그나저나 이제 어쩐다? 고 사장이랑 단둘이
방 안에 있어야 한다는 생각만 해도 너무 무서운데 일주일
씩이나 되는 여행이라니. 한여름에 스릴러를 찍을 일이 있
나.

"상관없으려나? 방을 따로 쓰면 되니까."

내 몫으로 주어진 넓은 방을 돌아보며 나는 가볍게 납득했
다.

그래, 까짓 같이 간다고 해서 꼭 같이 놀라는 법은 없는 거
다. 신혼 첫날밤이라고 해서 꼭 같이 자라는 법이 없는 것처
럼 말이다.

"아그그그. 아, 피곤하다."

넓은 침대 위에 대자로 드러누워 나는 길게 기지개를 켰
다.

동서와 아가씨가 돌아가고 혼자 덜렁 남겨지자 죽음 같은
피곤이 몰려왔다. 하긴, 왜 안 그렇겠나. 하루 종일 이리저리
끌려다니며 시달린 게 얼마고 또 얼굴은 얼마나 팔렸는데.
너무 피곤해서 이젠 배고픈 것도 모르겠다.

"침대 차암 좋다."

시골집 내 골방보다 더 넓어 보이는 침대 위에서 나는 파
닥파닥 날갯짓을 했다. 인생을 통틀어 이렇게 넓고 좋은 침
대는 처음이었다. 그래서인지 벌써부터 잠이 오려고 한다.

"씻어야 하는데."

덕지덕지 바른 화장을 닦아 내고 솜씨 좋게 올려붙인 머리도 감고 싶어서 온몸이 근질거렸지만 몸이 말을 듣지 않았다. 어디에선가 '조금 쉬었다가 해도 돼.' 하는 속삭임이 들려오는 듯했다. 몸이 점점 더 묵직하게 가라앉았다.

"앗! 이러고 있으면 안 되지, 참!"

막 잠에 빠지려는 찰나, 무언가를 떠올리고 나는 벌떡 일어나 황급히 옷차림을 살폈다.

피로연 때 입은 옷을 그대로 입고 올라왔다는 사실을 이제야 깨달은 것이다. 잠이 다 달아났다. 화려한 크림색 원피스 여기저기에 희미한 주름이 잡혀 있었다. 다행히 이만하면 괜찮은 편이었다. 비싼 옷이니까 잘 벗어서 걸어 놓으면 주름이 도로 펴질지도 모른다.

이래 봬도 웨딩 플래너의 강압에 가까운 권유와 고 사장의 말없는 허락 때문에 산 옷이었다. 그만큼 가격이 어마어마하다. 나 같으면 아무리 돈이 썩어 나도 절대로 안 살 옷이기도 했다. 반품도 안 될 텐데 겨우 하루 입자고 이런 옷에 돈을 처바르다니, 도대체가 이곳 사람들의 생각은 이해를 할 수가 없었다.

원피스를 옷장에 고이 모셔 놓고 나는 냉큼 욕실로 들어섰다.

어차피 일어섰겠다, 옷도 벗었겠다, 이참에 대강 씻고 눕자는 심보였다.

"우와!"

기도 안 차게 넓고 화려한 방처럼 이곳은 욕실조차도 우리 집보다 넓어 보였다. 그 사실에 감동하며 나는 어젯밤에 챙겨 가지고 올라온 가방을 끌어다 놓고 화장을 지우기 시작했다. 꼼꼼하게 칠해진 색조 화장을 지우고 머리도 풀어 내렸다. 그러고 나선 열과 성을 다해 온몸 구석구석을 빡빡 문질러 닦아 내고 머리도 두 번이나 감았다.

"아부지는 잘 주무시고 계시려나? 침대는 불편하실 텐데."

욕실을 나서면서 나는 아버지와 동생들이 지내고 있을 방쪽을 바라보았다.

동생들이야 그러려니 하지만 아버지는 평생 맨바닥에 이부자리 깔고 주무시던 양반이라 아무래도 침대는 불편하실 게 분명했다. 오늘밤 자고 내려가시면 한동안은 못 볼 텐데……

"잠깐 내려갔다가 올까?"

시간이 많이 늦긴 했지만 어떻게 주무시고 계시는지 살짝 보고만 오면 괜찮을 듯도 싶었다. 그에 가방을 뒤져 모처럼 큰맘 먹고 장만한 세트 추리닝까지 꺼내 입었다. 별것 아닌 것처럼 보이지만 그래도 5만 원이나 주고 산 물건이었다. 추리닝에 5만 원씩이나 투자한 건 내 평생 최대의 사치였다.

"응? 이건……"

그 와중에 동서가 결혼 선물이라고 던져 주고 간 작은 쇼핑백이 나왔다. 아침에 뭔지 모를 음흉한 미소와 함께 건네주기에 얼결에 받아 넣었는데 식 준비에 쫓겨 까맣게 잊고 있었다.

"뭐지?"

쇼핑백을 거꾸로 들고 탈탈 털자 까맣고 부들부들 거리는 가벼운 천 뭉치가 떨어졌다. 이건 또 무언가 싶어 침대 위에 반듯하게 펼쳐 놓았더니 아무리 봐도 슬립인지 잠옷인지 구분이 안 가는 미묘한 형태가 완성되었다. 근데 옷은 옷인데 속이 다 보이는 옷이었다. 주요 부위마다 들어간 약간의 레이스 말고는 도대체 몸을 가릴 것이 없어 보였다.

"이, 이런 걸 어떻게 입으라고?"

동서, 그렇게 안 봤는데 의외로 대담한 여자였던가?

선물한 건 둘째 치고 이런 걸 산 그 용기가 너무 대단해서 존경스러울 지경이었다. 나는 보기만 해도 민망해서 얼굴이 붉어지는데 재벌집 딸내미라는 동서는 '흐흐, 좋은 밤 보내세욧. 화이팅!' 이라고까지 하지 않았던가 말이다.

"호, 혼자 잘 거지만 그래도 이건 너무 대담하잖아."

둘이 잘 때도 못 입을 옷이지만 혼자 잘 때도 절대 못 입을 옷이었다. 모르긴 해도 엄청 야할 건데 혼자 자면서 그런 차림이면 영락없는 변태처럼 보일 테니까. 혹시 야한 여자가 되고 싶은 건가, 윤미숙?

"역시 치우는 게 좋겠지?"

공연히 부끄러워져서 얼굴까지 붉히고 나는 부랴부랴 잠옷을 집어 들었다. 그때였다.

딩동!

벨이 울렸다.

"헉! 누, 누구세요?"

무슨 죄라도 지은 사람처럼 잠옷을 황급히 뒤로 숨기면서 나는 빽 내질렀다. 야동을 보다 들긴 것도 아닌데 가슴이 막 뛰고 얼굴이 화끈 달아올랐다.

─나야.

착 가라앉은 낮은 목소리. 고 사장이었다.

문 너머에 고 사장이 있다. 아는 사람들에게 둘러싸여 술잔을 주거니 받거니 하면서 한참이나 이야기꽃을 피우더니 이제야 올라온 모양이다. 근데 여긴 왜 왔나. 얼른 방으로 가자지 않고?

의문을 느끼면서도 나는 또 얌전히 문을 열어 주었다.

피곤에 절었는지 조금 흐트러진 머리를 하고 문가에 삐딱하게 기대 서 있던 고 사장이 슬쩍 열린 문을 밀치고 안으로 성큼 들어섰다. 그리고 그의 뒤를 따라 호텔 직원으로 보이는 남자들이 우르르 들어오더니 작은 짐 가방과 트레이를 몇 개나 놓고 나가는 거다.

이건 대체 어떻게 돌아가는 상황인가.

혼란이 찾아왔다. 설마 여긴 내 방이 아니라 고 사장의 방이란 말인가?

'그러면 그렇지. 어쩐지 방이 지나치게 대단하다 했어.'

난 또 이 화려한 호텔 방에서 한번 자 보나 했었다.

약간의 민망함과 미안함을 느끼면서도 차라리 잘되었다 싶어 나는 냉큼 내 짐 가방을 챙기기 시작했다. 손에 들고 있는 잠옷이 너무 의식되어 얼음물을 따라 마시는 고 사장 곁을 괜히 조심조심 지나친 다음 내가 잔뜩 벌여 놓은 욕실도 대강 정리했다.

"뭐하는 거지?"

망할 잠옷을 부랴부랴 가방에 구겨 넣고 있는데 고 사장이 파우더 룸으로 들어서면서 물었다.

양복 재킷을 벗어 던지고 타이를 반쯤 푼 편안한 차림으로 문간에 기대어 내가 하는 양을 빤히 바라보았다. 아, 다시 고개가 수그러든다. 늘 반듯하기만 하던 차림이 살짝 흐트러진 탓인가 아니면 표정이 어딘지 모르게 느슨해 보이는 탓인가. 고 사장은 오늘따라 말도 못하게 섹시해 보였다.

그동안은 그도 바쁘고 나도 바빠서 제대로 마주할 시간이 없어 몰랐는데 이제 보니 전보다 더 멋있어진 것 같기도 하다. 흐트러진 셔츠 사이로 보이는 속살이 조금 야한 것도 같고. 이런 상황, 이런 장소에서 할 소리는 아니지만 딱 첫날밤에 신부를 유혹하는 신랑 같았다. 특히 저 집요하게 따라오는 시선은 분명히 내게 두려움을 주는 종류의 것이었다. 꿀인가? 대체 뭔 놈의 시선이 저리도 달짝지근하고 끈적한 거냔 말이다.

"저, 저기 그게 그러니까……."

잔뜩 당황한 채 나는 가방을 들고 일어섰다.

그런 내게 고 사장이 소리도 없이 성큼 다가왔다. 그에게서 희미하게 술 냄새가 풍겨 온다. 그는 깊어진 시선으로 내 얼굴을 보고, 가방을 보고, 그러다 다시 정면으로 시선을 마주했다. 깊고 깊어서 빠져 죽고만 싶어지는 검은 눈동자. 그의 눈빛이 조금 더 깊고, 조금 더 뜨거운 색으로 흐려졌다.

왜, 왜 그런 눈으로 보시는지?

꿀꺽.

마른침이 넘어갔다. 왠지 모르게 자꾸만 긴장이 되어서 나도 모르게 몸이 뒤로 젖혀지려고 했다.

"씻었나?"

"네? 아, 네. 그게……!"

뭐라 더 말하기도 전에 손이 다가왔다.

한 대 치려는 줄 알고 순간 움찔했지만 다행히 그건 아니었다. 그가 손을 뻗어 아직도 젖어있는 내 머리칼을 잠깐 쓸어 본 다음 가만히 내 볼을 쓰다듬었다. 열기를 머금은 긴 손가락이 꿈결을 더듬듯 얼굴선을 따라 느릿느릿 내려갔다가 입술 바로 아래의 턱 언저리에서 둥글게 맴돌았다.

그 단순한 동작이 왜 이리도 음란하게 느껴지는 것인지.

마치 노골적인 애무를 당하고 있는 것만 같아 솜털 끝까지 긴장한 채 나는 숨을 멈췄다. 그의 손이 움직이는 그 생생한 궤적을 따라 내 눈동자도 구르고 머리통 속의 쓸모없는 뇌도 같이 구르며 자지러졌다.

턱 끝에서 맴돌던 손가락 하나가 조심스럽게 위로 올라왔다.

그의 엄지손가락이 내 입술을 쓰다듬다 마치 입을 맞추듯 슬쩍 눌러 온다. 그것만으로도 나는 진짜 입맞춤을 받은 듯 몸을 굳히고 숨을 들이켰다. 갑작스러웠기에 더 강렬했던 첫 입맞춤의 기억이 피부 위에서 생생하게 살아나고 있었다. 심장 아래가 자꾸만 간질거렸다.

툭!

그때까지 구명줄처럼 단단히 붙잡고 있던 가방이 작은 소음과 함께 바닥으로 떨어졌다. 그것이 신호탄이 된 것일까? 그가 팔을 뻗어 내 허리에 두르는가 싶더니 이윽고 강한 힘에 의해 몸이 확 딸려 갔다.

"흡!"

크고 단단한 몸에 꽉 끌어 안겼다고 느낀 순간이었다.

머리카락 속을 파고든 커다란 그의 손에 의해 고개가 뒤로 젖혀지면서 마침내 격렬한 접촉이 시작되었다. 아니, 아니다. 이것은 그냥 접촉이 아니었다. 이전까지의 입맞춤이 그냥 접촉이었다면 이번의 것은 충돌이었고 공격이었다.

무섭게 다가온 그의 입술이 굶주린 아귀처럼 내 입술을 단번에 집어삼켰다.

입술은 생각보다, 아니 기억하고 있는 것보다 훨씬 더 뜨거웠다.

부딪치고 삼켜지는 순간 머릿속이 온통 아찔해질 정도의 열기와 함께 몸 깊은 곳을 자극하는 강렬한 감각이 혈관을 타고 온몸으로 확 퍼져 나갔다. 파도다, 아니 해일이다. 눈이 저절로 부릅떠졌다. 머릿속에서 작은 원자폭탄이 터진 것보다 더 큰 폭발력이 휘몰아쳤다.

심장이 떨렸다.

그가 작고 예민해진 내 입술을 물고 쪽쪽 빨고 잘근 깨물면서 희롱을 할 때마다 갑자기 당돌해진 심장도 박자를 맞추듯 같이 펄떡였다. 발이 땅에서 떨어진 건 아닌 것 같은데 그럼에도 불구하고 중력과는 아무 상관없이 몸이 둥둥 떠올랐다. 뱃속이 간질간질한 것이 마치 정전기가 이는 것 같았다. 이제껏 몰랐는데 입술 끝에도 이렇게 많은 감각이 존재했었던가?

입술만으로 유혹하듯 살짝살짝 간질이는 느낌에 전율하며 나도 모르게 눈을 감았다. 칭찬하는 것처럼 그가 입술을 강하게 꾹 눌러 왔다. 그러곤 혀끝으로 아랫입술을 스윽 핥아

올린다 싶더니 곧 살짝 벌어진 입술을 열고 뜨거운 덩어리가 안으로 쑥 들어왔다.

"으읍!"

스르르 감겼던 눈이 도로 번쩍 뜨였다.

혀와 함께 열기를 머금은 숨결이 훅 밀려와 입안을 온통 점령했다. 누구의 것인지 구분할 수 없는 타액 속에서 미친 듯이 뒤엉킨다. 아아, 이것이 진짜 키스구나. 나이 서른에 나는 드디어 새로운 문명과 만나고 있었다.

그의 혀가 거침없이 안을 휘저었다.

바짝 움츠러든 내 혀를 기어이 찾아내 건드리고 휘감고 쓰다듬고. 마치 촉수처럼 입안 구석구석을 더듬는 그것의 움직임에 눈앞이 다 뿌옇게 흐려졌다. 나는 이대로 잡아먹히고 마는 것인가. 그것을 허락해도 좋은 것인가.

몽롱하게 흐려진 눈으로 나는 키스에 몰입해 있는 그의 모습을 하염없이 바라보았다.

이 잡아먹을 듯 탐욕스러운 키스의 순간에도 그는 여전히 섹시하게 보였다. 불공평한 일이었다. 더없이 금욕적일 것만 같은 남자가 살짝 흐트러졌다는 이유만으로 이렇게 섹시해도 되는 것인가. 나쁜 고 사장. 고 사장이 이러면 안 그래도 나를 미워하는 여자들에게 내가 더 큰 미움을 살 게 아닌가.

이상하게 마음이 아팠다.

이유는 알 수 없으나, 그가 섹시하게 느껴지면 느껴질수록 더 깊어지는 아픔이었다. 허리에 둘러져 있던 그의 손이 어느새 천천히 등을 오르내리고 있었다. 아까부터 자꾸 아랫배를 쿡쿡 찔러 대는 단단한 것 때문에 때때로 몸이 뒤틀렸다.

　더 이상 키스가 문제가 아니었다.

　딱 달라붙은 채 작은 원을 그리며 움직이는 그의 아랫도리는 거의 치명적이었다. 사뭇 격렬한 키스와 달리 느리고 부드럽게 이어지는 작은 움직임. 고 사장의 아랫도리는 입술보다 더 위험하고 관능적이다. 문득 울고 싶어졌다. 키스는 숨도 못 쉬게 점점 더 깊어지고 마음은 이유 없이 아프고 아랫도리는 심란했다.

　"저, 저기 잠깐만……."

　집요하게 따라붙던 입술이 떨어지는 짧은 순간, 나는 두 손으로 그를 밀치며 냉큼 고개를 돌렸다. 덕분에 막 다시 돌진해 오던 입술이 엉뚱하게 귓볼로 떨어져 아주 잠깐 더 난감해질 뻔했으나 다행히 그의 품에서 벗어나는 데에는 성공했다. 살아서 벗어나 다행이었다. 안 그랬으면 벌겋게 달아오른 얼굴에 식은땀까지 잔뜩 매단 채로 그의 품에서 질식사했을 거였다. 살기 위해 나는 헉헉거리며 잠시 가쁜 숨을 골라야 했다.

　그런 나를 고 사장이 열기 가득한 시선으로 내려다보고 있었다.

얼마나 뜨끈뜨끈하게 달아올랐는지 눈가에 희미한 붉은 기까지 보였다. 그는 두 손으로 여전히 내 팔뚝을 잡은 채 차분히 숨을 고르며 내 입술을 바라보았다. 그러다 시선이 마주치자 마치 유혹하듯 혀끝으로 살짝 입술을 핥는 거다.

꿀꺽.

미치겠다. 그저 입술 한 번 핥은 것뿐인데 왜 이렇게 내장까지 요동을 치는 것이란 말이냐. 위기감이 몰려왔다. 그는 지나치게 섹시하고 나는 인내력이 바닥을 치는 여자였다. 이대로 있다간 양심의 부름도 던져 버리고 짐승처럼 그를 덮칠지도 모른다.

"크흠! 저기…… 취, 취하신 것 같아요."

그가 갑자기 섹시해진 이유. 그리고 내가 마음이 아픈 이유.

그에게선 진한 술 냄새가 풍기고 있었다. 그냥 마주 섰을 땐 희미하게 느껴지던 것이 막상 입술을 마주 대니 아주 절었다 싶게 진동을 했다. 그래서 나는 고 사장이 생각보다 술을 상당히 많이 마셨으며 겉으로 보이는 것처럼 멀쩡한 상태가 결코 아니라는 사실도 금방 깨달았다.

왜 뉴스나 신문에도 곧잘 등장하는 기사가 있지 않나.

'깨어 보니 남의 집 안방', '술김에 성폭행', '취해서 기억이 안 나' 등등 하는 것들 말이다. 고 사장도 취해서 제정신이 아닌 게 분명했다. 그러니 지금 자신이 바라보고 있고, 열렬하게 키스를 퍼부은 대상에 대해 그가 정확히 인식하고 있다고 생각할 수도 없었다.

상대가 누구든 상관이 없는 것이었는지, 아니면 다른 누군가를 보고 있는 것인지에 대해서는 나도 정확히 알 수 없지만 한 가지 사실만은 분명했다. 지금 그가 보고 있는 여자는 절대 윤미숙이 아니라는 것. 미운털이 단단히 박혀서 내내 무시하던 여자에게 이런 열정을 뿜어내기란 거의 불가능한 일이니까.

"많이 취하신 것 같은데 어, 얼른 씻고 주무세요."

출렁.

열기로 가득하던 그의 눈동자에 잔물결이 일었다. 작은 의문에서 깨달음으로, 그리고 마침내는 조금 충격을 받은 듯 서서히 굳어 가는 표정의 변화가 그림처럼 선명했다.

"저, 저는 미주랑 자면 되니까 걱정하지 마시고."

팔뚝을 잡고 있는 그의 손을 슬그머니 털어 내고 나는 냉큼 가방을 주워 들었다. 그러곤 누가 잡을세라 뒤도 안 돌아보고 후다닥 뛰었다. 꽤 무거운 가방을 들고도 나는 별다른 장애 없이 그 넓은 방을 순식간에 가로질러 문밖으로 뛰쳐나오는 데 성공했다. 그때까지 고 사장은 마치 돌이나 된 듯 선 자리에서 꼼짝을 하지 않았다.

혹시 엉뚱한 여자에게 열정을 소모했다는 사실을 깨닫고

그대로 돌이 되어 버렸나?

"후아, 후아. 심장이 멎는 줄 알았네."

방문에 등을 기대고 나서야 나는 내내 참고 있던 숨을 바쁘게 토해 낼 수 있었다. 철인 24호 윤미숙. 가방 들고 이렇게 잘 뛰는 여자는 나밖에 없을 거다. 한바탕 뛴 덕분인지 어쩐지 더 무겁게 느껴지는 가방을 질질 끌고 나는 천천히 미주가 있는 아래층으로 내려가기로 했다.

"제법 끝내주는 키스였지라."

아직 후들거리는 다리로 달팽이처럼 느릿느릿 긴 복도를 걸으며 나는 그렇게 심심한 소감 한마디를 중얼거렸다.

난생처음 겪어 본 키스였지만 혼이 쏙 빠지게 대단했다. 그냥 뽀뽀도 원폭 수준이더니 키스는 그보다 더 대단했던 것 같다. 솔직히 말하면, 윤미숙 팔자에 그런 키스를 어디 가서 다시 겪을 수 있다고 장담할 수 없을 정도였다.

나 아닌 다른 사람을 그렇게 가까이에서 느껴 보긴 또 처음이었다. 상상했던 것보다 훨씬 더 짜릿하게 압도하는 그 무엇. 단순히 입술을 마주하는 것이라고 표현하기엔 지나치게 강렬하고 위험한 접촉이었다. 수많은 병원균이 오고 가는 단순 신체 접촉 행위가 아니라 그 이상의 무엇까지 함께 나누는, 몸으로 하는 대화 같은 것임이 확실했다. 비록 그와 나는 서로 말이 안 통하는 사이이긴 했지만 말이다.

"그래도 안 되는 건 안 되는 거지."

복도 한복판에 멈추어 서서 나는 멍하니 고개를 저었다.

아직도 입술이며 혀까지 온통 홧홧하고 특히 자극 받은 아랫배가 뭉근하게 아플 정도로 그의 남겨 준 것들의 존재감은 대단했지만 그래도 안 되는 건 안 되는 거였다.

"우린 진짜 부부가 된 게 아니니까."

그날 할머님을 뵙고 혼자 기차를 타고 집으로 내려가면서 나는 단단히 결심을 했었다. 무슨 일이 있어도 그를 사랑하는 것만은 하지 말자고. 올라가지 못할 나무는 쳐다보지도 말라고 했다. 고 사장은 내가 올라가지 못할 나무였다. 꽃은 지는 줄 알면서도 피어난다지만 윤미숙은 소심해서 끝내 버려질 사랑 같은 건 할 자신이 없었다. 그렇게까지 불쌍해지지는 말자고 나는 스스로에게 단단히 주문을 걸고 그와 결혼을 한 것이다.

그에게도 머잖아 사랑하는 사람이 생길 터였다.

내가 형식적으로나마 그의 곁에 머물 수 있는 것은 단지 그때까지만이리라. 혹은 할머님이 돌아가실 때까지이거나. 그도 아니라면…….

"쓴 돈을 다 갚을 때까지."

그것이 바로 나의 현실이었다. 단지 그뿐이었다.

새 아침이 밝았다.

낯선 곳이라 잠을 설치면 어쩌나 걱정했던 일이 무색하게 시리 나는 밤새 코까지 골아 가면서 잘만 잤다. 그러곤 언제나 일어나던 시간에 칼같이 눈을 뜬 다음 곧 바쁘게 움직이기 시작했다. 개인적인 생각인데, 해가 뜨는 시간은 시골이나 서울이나 거의 비슷했지만 하루가 시작되는 시간은 아무래도 시골이 훨씬 빠른 게 틀림없었다.

"아, 얼른 내려가 밭에 가 봐야지."

해도 안 뜬 꼭두새벽에 일어나 이리저리 호텔을 헤매다 아버지는 아침밥을 드시기가 무섭게 길을 나서셨다. 본인은 늘 일어나던 시간에 일어나 늘 나가는 시간에 나가는 것뿐이었지만 때는 아직 새벽 6시도 안 되었다. 술에 절어 잠든 고 사장은 둘째 치고 깨어 있는 사람을 찾기가 더 힘든 시간이었다.

그 시간에 아버지는 만류하는 나를 제쳐 놓고 미주까지 데리고 기어이 먼저 시골로 내려가셨다. 조금 늦게 일어난 미준이는 아르바이트를 했던 병원에서 급한 호출을 받았다며 아침도 못 먹고 부랴부랴 뛰쳐나갔고. 그리고 나서도 한참 뒤에야 고 사장의 비서가 나타났다. 나를 싫어하는 문제의 그 김 실장 말이다.

"여기서 뭐하는 겁니까?"

그가 삐딱한 얼굴로 나를 바라보고 있었다.

만날 노트북 화면만 바라보는 사람이 눈은 또 얼마나 좋은지 로비 커피숍 구석에 처박혀 있는 나를 잘도 발견했다. 가족들도 모두 보냈고 밥도 먹은 직후라 딱히 할 일이 없어서 나는 고 사장이 내려오길 기다리며 커피 잔을 앞에 놓고 책을 읽는 척하고 있는 중이었다.

"사장님은 안 내려오셨습니까?"

"네? 아, 네. 아마도요."

"아마도? 같이 내려온 게 아니란 겁니까?"

"그, 그게…… 네."

넙죽 고개를 끄덕이자 당장 추궁하는 눈빛이 날아왔다.

그냥 추궁도 아니고 자그마치 '우리 사장에게 무슨 짓을 한 거지?' 라고 말하는 것 같아 기분이 조금 거시기 해지려고 했다. 설마하니 내가 덮치기라도 했을까 봐 그러는 건가?

억울하오. 나보다 머리 한 개만큼이나 더 크고 덩치도 산만 한 고 사장을 내가 무슨 힘이 있다고 감히 덮칠 수 있었겠소? 나, 이래 봬도 어제 취한 고 사장에게 키스까지 당한 몸이라오. 절대로 내가 먼저 덮친 거 아니란 말이오.

"어디에 계시는지는 압니까?"

모른다. 지난밤 그러고 헤어진 이후로 본 적이 없어서.

아직 방에 있지 않을까나? 대강 씻은 다음 아침을 먹고 있거나. 그도 아니면……

"로비에 계시네요."

"네?"

"저기."

손가락을 들어 나는 친절하게 로비 한쪽을 콕 찍어 주었다.

고 사장이 막 엘리베이터에서 내려서고 있었다. 안 그래도 여기서 대답을 못하면 또 왕창 혼나게 되지 않을까 걱정하며 떨고 있었는데 타이밍까지 딱 맞춰 저절로 나타나 주다니. 고마운 고 사장이었다. 비록 간밤의 사건(?) 때문에 얼굴을 마주하기가 너무나 민망하여 그냥 이대로 도망치고 싶은 기분이 들긴 하지만 말이다. 설마, 고 사장도 자기가 한 일을 죄다 기억하고 있는 것은 아니겠지?

어지간하면 기억해 내지 말아 주시오, 고 사장.

기억해 내 봤자 괜히 입맛(?) 버렸다는 생각에 댁은 기분만 더러워질 것이고 나는 그 뒷감당에 골몰하게 될 텐데, 그건 우리 서로에게 크나큰 비극일 게 아니겠소?

큰 걸음으로 저벅저벅 걸어온 고 사장과 마침내 눈이 마주쳤다.

순간 휙 고개가 돌아갔다. 본의는 아니었으나, 어쨌거나 너무 무서워서 나도 모르게 고개를 도로 커피 잔에다 처박고 말았다. 그가 어떤 눈으로 바라볼지, 무슨 말을 할지 상상하는 일조차 두려울 정도로 심장이 벌렁거렸다. 머리 꼭대기 위로 쏟아지는 고 사장의 시선이 아플 만큼 생생했다.

"아침은 먹었나?"

"네, 네!"

"그럼 집으로 가지."

짧게 끊어지는 말을 끝으로 고 사장은 또 앞서서 척척 걸어가 버렸다. 그리고 비서가 여유 있게 따라가고 그런 두 사람을 놓칠세라 나는 가방을 끌어안은 채 다다다 쫓아 갔다.

고 사장이 혼자 살고 있다는 집에 대해 나는 별로 아는 게 없었다. 사실, 그동안은 할머님과 아가씨가 계신 시장의 가 게에만 몇 번 다녔을 뿐 그가 산다는 집에 대해서는 거의 신 경을 쓰지 않고 있었다. 그도 그럴 것이, 며칠 되지 않는 결 혼식 준비 기간 동안 나는 딱 세 번 서울에 왔었는데 그때마 다 해야 할 일들이 너무 많아서 할머님을 잠깐 뵙는 것 말고 는 따로 시간을 낼 수가 없었더랬다.

가끔 지나가는 말로 고 사장이 단장이 다 끝났으니 집에 한번 가 보라는 말을 하긴 했지만 나는 그것도 다음에 하겠 다며 극구 사양했었다. 어차피 같이 살 것도 아닌데 가뜩이 나 없는 시간까지 쪼개 그가 사는 집을 볼 필요는 없다고 생 각했던 것이다.

'그렇게 끔찍하게 위하면서 왜 안 모시고 살지?'

이번에 새로 독립한 건 아니라고 했다.

할머님과 아가씨는 원래부터 시장에서 장사를 하고 있었 고 고 사장은 철든 무렵부터 주욱 혼자 나가 살았단다. 그런 데 혼자 있을 때야 그렇다 치지만 이제 형식상으로나마 결혼을 했으니 같이 살자는 소리를 할 법도 한데 그는 여직 별다른 말이 없었다. 할머님을 모시고 싶어서 한 결혼일 텐데도 말이다.

'다른 여자라도 숨겨 놨나?'

자기는 딴 여자랑 살고 나는 시장 가게에서 할머님 모시고.

여전히 조각 같은 고 사장의 옆모습을 훔쳐보면서 나는 그런 상상을 해 보았다. 잠깐 겪은 것만으로도 그렇게 얍삽한 성품이 아니라는 걸 알았지만 사람 속은 알다가도 모를 것이기에. 나랑 한 결혼처럼 말 못할 사정이라는 것이 또 있을지도 모르고.

다행히 집은 호텔에서 그리 멀지 않았다.

나란히 앉아 가면서도 별다른 말이 없는 분위기가 너무 묵직해서 숨이 막힐 지경이었는데 진정 다행이었다. 간밤의 일에 대해서 말을 꺼내 주지 않는 건 너무 고마웠지만 그래도 이런 침묵은 아직 적응이 안 된 나로선 견디기가 조금 곤욕스러운 게 사실이었다.

"어? 여긴……."

그의 집 앞에 서기가 무섭게 입이 벌어졌다.

혼자 산다고 해서 나는 아담한 아파트 따위를 생각했었다. 그런데 눈앞에 버티고 선 것은 대단히 오만하게도 생겨 먹은 거대한 한옥이었다. 양옆으로 죽 이어진 담이 쉽게 끝나지 않는 것으로 보아선 결코 혼자서 살 만한 곳이 아닌, 3대나 그 이상의 대가족을 거느리고 살아도 될 만큼 넓은 곳이었다.

"우와아!"

대문 안으로 들어서자 확 트인 잔디밭이 나타났다.

시골에서 자란 나도 이제껏 못 본 넓은 잔디밭과 잘 꾸며진 정원수며 화단이 담을 따라 길게 이어져 있었다. 심지어는 물레방아를 낀 작은 시내도 있다. 그리고 안쪽에 둥실 자리 잡은 반듯한 석조 기와집이 세 채나 된다. 고개가 저절로 고 사장에게로 향했다. 이런 어마어마한 집에서 정말 혼자 사신단 말이오?

"들어가지."

벌써부터 기가 질려 꼼짝도 못하고 있는 내 모습이 안 보이는지 그는 별 대수롭지 않은 얼굴로 순식간에 정원을 가로질렀다. 그래서 난 또 놓칠세라 다다다 쫓아 들어간 거다.

현관으로 들어서자마자 정원만큼이나 확 트인 거실이 나타났다.

소파를 제외한 별다른 가구도 없이 그저 단정하게 정리가 되어 있는 탓에 안 그래도 넓은 게 더 넓어 보여서 마치 우리 동네 초등학교 운동장이나 광장처럼 느껴졌다. 그리고 그 앞 유니폼에 앞치마까지 깨끗하게 차려입고 나란히 서 있는 중

년 즈음의 아주머니 두 분.

"다녀오셨어요, 사장님?"

뉘신지.

깍듯하게 허리까지 숙여 인사하는 두 사람에게 나도 모르게 같이 맞절을 하고 허리를 펴는 찰나, 문득 고 사장이 나를 가리키면서 말했다.

"제 안사람입니다. 앞으로 많이 도와주십시오."

아, 아, 안사람!

일단 맞기는 맞는 말 같은데, 아니 왜 얼굴이 달아오르지? 다른 사람들에겐 당연히 그렇게 보여야 하고 또 그러기 위해 그 난리를 떨어 가면서 화려한 결혼식까지 한 거였다. 근데 그 당연한 말 한마디에 왜 이렇게 부끄럽고 화끈화끈한 것이란 말이냐. 불타는 돼지껍데기도 아닌 것이.

배배 꼬이려는 몸을 간신히 다잡고 나는 조심스럽게 고 사장을 돌아보았다. 그러나 그는 이미 방으로 휑하니 사라진 후였다. 두 아주머니만 남아 의아한 시선으로 나를 바라보고 있었다.

"어디 아프세요, 사모……님?"

"네? 아, 아니요!"

"얼굴이 벌겋게 익었는데."

더워서 그런 겁니다!

뭐라 할 말이 없어 나는 나름 매력(?) 넘치는 애교스러운 웃음으로 간신히 상황을 모면했다. 덕분에 아주머니들의 시선이 더 의심스러워졌지만 알 바 아니었다. 알고 보니, 두 분 아주머니는 이제껏 고 사장네 살림을 도맡아 온 도우미들이었다. 고 사장이 집에 사람 두는 걸 싫어해서 두 사람 모두 아침저녁으로 출퇴근을 하고 있었는데 생긴 걸로만 보면 도우미가 아니라 어느 부잣집 사모님들이라고 여길 정도로 고상했다. 즉, 고용주 마누라 노릇을 해야 하는 내가 더 없어 보였다.

그런 사실을 두 사람도 단박에 알아차린 것 같았다.

두 쌍의 시선이 내 머리끝부터 발끝까지 스윽 훑고 지나갔다. 그리고 미묘하게 달라진 눈빛으로 서로를 바라보고 다시 나를 보고 마지막으론 고 사장이 사라진 방 쪽을 돌아보는 거다. 차마 믿어지지 않는다는 시선으로.

"아, 안 들어가 봐…… 요?"

가방을 끌어안고 여전히 현관 앞에 어색하게 서 있기만 하자 강 씨 성을 쓴다는 아주머니가 넌지시 고갯짓을 해 보였다. 얼른 따라 들어가 할 일을 하라는 눈치였다. 그 부분에서 나는 잠시 심각하게 고민을 해야 했다.

왜 따라 들어가야 하나, 들어가서 뭘 해야 하나, 들어갔을 때 고 사장은 어떤 반응을 보일 것인가.

보통의 신혼부부라면 뜨거운 눈빛을 주고받다가 아침이라는 것도 무시하고 그냥 침대 위로 자빠질지도 모르지만 고 사장과 나는 딱히 그럴 일이 없었다. 그러면 같이 있어 봤자 따로 할 일도 없을 것이고 그냥 어색하기만 할 텐데 내가 정말 그를 따라 방으로 들어가야만 한다는 건가. 왜 들어오냐고 물으면 뭐라고 대답해야 한단 말인가.

갈등이 일어났다.

들어갈까 말까. 엉거주춤 서서 망설이고 있는데 간다는 말도 없이 방으로 쑥 사라졌던 고 사장이 다시 방문을 열더니 눈으로 나를 찾았다. 분명히 '빨리 안 오고 거기 서서 뭐하는 거지?' 라고 말하는 눈이었다. 그래서 나도 모르게 두다다 달려가 앞뒤 생각도 없이 그가 열어 놓은 방문 안으로 쑥 들어섰던 것이다.

그리고 다시 입이 벌어졌다.

처음 집 앞에 섰을 때보다, 거실로 들어섰을 때보다 더 압도적인 충격이 훅 다가왔다. 시골에 있는 우리 집이 아니라 과수원보다 더 넓어 보이는 방의 모습에 나는 기가 질려 버렸다. 정원 쪽으로 확 뚫린 전면 창과 방 한복판을 차지한 하얗고 거대한 침대가 눈을 찔렀다.

의상실을 옮겨 놓은 듯한 드레스 룸, 으리으리한 화장대에 각종 화장품이 가득한 파우더 룸, 금테를 둘러 차마 앉아 있기가 송구스러운 화장실까지 순례하듯 돌면서 나는 점점 더 작아지는 스스로를 느꼈다. 그 비싸던 호텔 방도 어려웠는데 이건 더했다.

대체 어느 잡지에서 튀어나온 방인가. 아니, 어쩌면 이렇게 잘도 맞췄을까. 방을 보는 순간 나는 딱 감을 잡았다. 여긴 틀림없는 고 사장의 방이었다. 넓고 단순하면서도 소품 하나하나가 고급스러운 것이 딱 고 사장을 닮았다. 고 사장이 굳이 방 한복판에 서 있지 않아도 그냥 그의 방이라는 걸 알 수 있을 만큼 그와 똑같은 분위기를 풍기고 있었다. 상당히 매력적이지만 동시에 무섭기도 해 차마 다가갈 수 없는 그 미묘한 분위기.

　'집부터가 딱 그렇더니 역시 방까지 빈틈이 하나 없는 것이 여차하면 사람을 잡을 분위기로구나.'

　이런 곳에서는 그저 조심 또 조심하는 수밖에 없다.

　실수로라도 잘못 건드리면 어쩐지 죄책감이 들 것 같았다. 술 취한 고 사장이랑 키스를 하고 그랬던 것처럼 말이다. 근데 파우더 룸의 그 많은 여자 화장품은 누가 쓰는 건가? 남자 화장품이야 당연히 고 사장이 쓰는 거겠지만 여자 화장품은…… 역시 여자가 쓰는 거겠지. 아, 고 사장 정말 여자 있나?

　그런 생각 때문인지 방 한복판, 침대 위에 나란히 붙어 있는 베개 두 개가 유난히 아찔하게 느껴졌다. 고 사장이랑 나란히 누워 자는 여자는 어떤 여자일까? 동서 같은 재벌 딸이거나, 혹은 미스코리아쯤 되려나?

　"다 둘러봤나?"

그새 옷을 갈아입었는지 새 정장의 재킷을 걸치고 나오면서 그가 물었다.

"서둘러 준비하느라 빠진 것이 있을지도 모르는데……."

"그, 글쎄요. 제가 보기엔 다 좋은데요."

솔직히 난 뭐가 뭔지도 잘 모르겠다.

이런 어마어마한 곳에서는 통 살아 본 적이 없어서. 심지어 우리 집은 화장실도 마당에 있었다. 그러니 그런 문제에 대해서는 나보다 당장 같이 살 사람과 상의하는 것이 더 좋지 않을까 싶다. 나야 들고 온 가방 하나 들고 할머님이랑 아가씨가 있는 시장의 가게로 가면 그만이었다. 아, 종종 들러 청소라도 하라는 소리인가? 그거라면 나도 자신 있다.

"근데 벌써 출근하세요?"

혹시 눈이라도 마주치면 민망함이 순간적으로 업그레이드될까 봐 최대한 고개를 푹 떨어뜨린 채 나는 조그맣게 물었다.

"음. 오전 중에 일을 마무리하고 일찍 들어오는 게 좋을 것 같아서. 일이 많은 건 아니니까."

"아아, 네. 피곤하실 텐데 그래도 일이 많지 않다니 다행이네요."

"걱정해 주는 건가?"

"네? 그, 그럼요."

당연히 걱정해 주는 거다.

이제부터는 그가 나의 고용주이며 비빌 언덕인데 어쩌겠나. 어떻게든 잘 보여서 보다 편하게 지낼 수 있도록 터를 닦아 놓아야 나도 좋고 그도 좋을 게 아닌가.

머릿속으로 그런 계산을 하는 사이 고 사장이 스윽 다가왔다.

그때까지도 고개를 푹 숙이고 있었기 때문에 나는 코앞에 나타난 커다란 발 두 개를 보고서야 그가 가까이 다가왔다는 사실을 깨달았다. 그리고 흐릿하게 코끝을 유혹하는 향기. 정적이 흘렀다. 간밤의 사건 때문에 공연히 위기감을 느낀 나는 긴장해서 있는 대로 숨을 들이켰고 그는 한동안 말이 없었다.

설마 아직도 술이 안 깬 건 아니겠지요, 고 사장?

째깍째깍.

시계의 초침 소리가 유난히 크게 들려온다. 미처 몰랐는데 이 방 어딘가에 시계가 있었던 모양이다. 얼마나 지났을까. 문득 어깨 쪽에서 묵직한 압력이 느껴졌다. 시계 소리에 잠깐 정신을 판 사이 큼직한 손이 다가와 잔뜩 움츠러든 내 어깨를 꾹 움켜쥐고 있었다. 고개가 저절로 올라갔다. 시선이 올라간 만큼 이젠 발이 아니라 그의 가슴팍 즈음에 매달린 넥타이핀이 눈에 들어왔다.

"한동안은 낯설겠지만……."

넥타이핀 참 예쁘다.

"금방 적응할 수 있을 거야. 시골이나 여기나 별로 다를 건 없을 테니까."

초록색 에메랄드가 빛을 받아 반짝이는 것이 마치 나를 향해 윙크를 하는 것 같다. 아, 나도 넥타이나 매고 다닐까.

어깨를 움켜쥐고 있는 손을 흘깃거리며 나는 그렇게 엉뚱한 생각에 매달렸다. 원래 고 사장의 체온이 조금 높은 건지, 아니면 내가 긴장해서 민감하게 느끼는 것인지 손 아래의 피부가 타는 듯이 뜨거웠다. 머리 꼭대기로 고 사장의 목소리가 내려앉을 때마다 불타는 어깨도 같이 들썩이려고 한다.

그 좋은 목소리로 귓가에 바람이라도 불어넣으면 나는 어떻게 되는 걸까. 혹시 그대로 기절해 버리는 건 아닐까?

간밤엔 워낙 피곤한데다 정신이 없어서 견딜 수 있었는데 지금은 별로 피곤하지도 않고 정신도 지나치게 말짱하니 내가 어떤 반응을 일으킬지는 나도 몰랐다. 심장마비를 일으켜 당장 죽는다고 해도 어쩐지 납득할 수 있을 것 같은 심정이었다.

그래서 말인데, 어지간하면 말할 때 이런 불필요한 신체적인 접촉은 좀 피해 주었으면 좋겠다. 안 그래도 정상이 아닌 것 같은데 때마다 이러면 내 심장은 물론이고 피부까지 이상해질지도 모르니까. 물론, 이렇게 지나치게 가까이 다가오는 것부터 자제해 주면 더 좋을 것 같다.

담담하게 대하는 게 어려우면 그냥 전처럼 살짝 무시해 주던지.

왜인지는 모르겠지만 어젯밤부터 그는 너무 가까이 다가오고 있었다. 이런 가벼운 접촉은 물론이고 마주 설 때조차 어쩐지 한 걸음쯤 더 다가서는 느낌이었다.

"도움이 필요하면 언제든지 말하고."

그리고 어째 좀 더 친절해진 듯도 하다.

결혼 직전에 있었던 불미스러운 사건(?) 때문에 한동안 이리저리 살벌하게 굴기에 나는 또 결혼과 함께 온갖 구박을 다 당하거나, 여차하면 한 대 처 맞는 거 아닌가 하고 걱정을 했더랬다. 다행히 그럴 정도로 쪼잔한 성격이 아닌 듯하여 고맙긴 한데 때때로 보이는 이런 지나치게 친절한(?) 태도는 고마움을 떠나 당혹스러움을 불러오기에 충분한 것이었다.

적어도 나는 그랬다.

다른 가족들은 늘 겪어 그러려니 하겠지만 나에게 그의 친절함은 역시 조금 무서운 게 사실이었다. 친절한 고 사장이라니. 소름 돋는다. 그가 가족에게만 친절한 사람이라는 사실은 벌써 알고 있었다. 그래서 덤 식구인 나에게도 애써 친절하게 구는 기분은 이해할 수 있지만 너무 이러니 한편으로는 미안해지려고도 했다.

'고 사장, 그냥 하던 대로 해 주면 안 되겠소? 당신이 친절해지면 내가 송구스러워서 어쩔 줄을 모르겠단 말이오. 굳이 이렇게 하지 않아도 나 정말 잘하기로 작심했소.'

그의 의도대로 할머님에게도 잘하고 아가씨랑 다른 가족들에게도 나는 정말 잘할 거다. 설령 그들이 나를 싫어한다고 해도 방긋 웃으며 잘할 자신이 있었다. 이래 봬도 마을금고에서 10년이나 일한 몸이라 서비스 정신엔 도가 텄다.

"거, 걱정 마세요. 저 금방 적응할 수 있어요. 별로 낯설지도 않은데요 뭐. 저 잘할게요. 어, 얼른 나가셔야죠?"

어색한 분위기에 치여 죽을까 봐 나는 냉큼 그의 손에서 벗어나 수선을 떨었다. 그런 나를 그가 슬쩍 낚아채 잡아당겼다. 푹! 부드럽게 끌려간 몸이 넓은 품에 푹 잠기는 것을 느낀 순간 그의 긴 팔이 등을 감싸 안았다. 성숙한 남자의 향기와 후끈한 열기가 동시에 온몸을 잠식해 온다. 도망칠 새도 없이 완벽하게 갇혀 버렸다. 심장이, 아니 몸이 오그라들었다.

"일찍 들어올게."

"네, 네."

"전화할게."

"……네."

나를 품에 안고 그가 다정하게 속삭였다.

쿵쿵. 심장 뛰는 소리가 들렸다. 내 것은 이미 툭 떨어져 방바닥에서 뒹굴고 있으니 이 묵직한 소리는 분명히 그의 것

일 터였다. 아, 그에게도 심장이 있구나. 당연한 사실을 이제
야 깨달은 척 괜히 감동하며 나는 뻣뻣하게 굳어서 숨도 못
쉬고 가만히 귀를 기울였다. 이러다 죽을까 봐 남몰래 두려
움에 떨면서. 그런 나를 그가 힘주어 꾹 끌어안더니 곧 살며
시 놓아주면서 귓가에 속삭였다.

"다녀올게."

아오오, 하필이면 귓가에.

소름이 쫙 올라와 나도 모르게 몸서리가 쳐졌다. 그의 입
김이 닿은 쪽 귀로 손이 올라가려고 들었다. 뼛속까지 오싹
한 것이 정말로 솜털이 곤두섰다. 설마 지금 나 유혹하는 겁
니까, 고 사장? 이건, 이런 건 진짜 신혼부부나 하는 짓이잖
아요? 사람 헷갈리게 자꾸 이러는 거 아니에요.

그의 표정을 확인하고 싶은 격한 충동과 머릿속을 헤집어
보고 싶은 강렬한 욕구 사이에서 마구 갈등하다 나는 제 풀
에 지쳐 힘이 쭉 빠져 버리고 말았다. 아무 일 없었다는 듯
당당하게 방을 나서는 그의 등짝을 보니 혼자만의 이런 생각
들 따위가 다 무슨 소용인가 하는 생각이 든 것이다. 내가 어
떤 상상을 한다 해도 그건 그의 진짜 마음과는 하늘과 땅처
럼 분명히 다를 텐데 말이다.

'그냥 잘하라는 뜻이겠지.'

아주머니들과 나란히 서서 출근하는 그를 배웅하며 나는
결국 그런 결론을 내렸다. 그런데 이제 어떡한다? 호기심이

잔뜩 어린 시선으로 나를 바라보는 두 도우미 아주머니들 사이에서 나는 조금 갈등했다. 그냥 이대로 여기서 고 사장이 퇴근하길 기다려야 하나, 아니면 혼자서 시장의 가게로 가야 하나. 다행히 고민은 그리 길지 않았다.

드르르르…… 쾅!

아주머니들의 질문 세례가 막 시작되려는 찰나, 밖에서부터 요란한 소리가 들리더니 곧 현관문이 거칠게 열렸다. 뽀얀 승무원 옷을 입은 여자가 커다란 여행 가방을 끌고서 거침없이 안으로 들어오고 있었다.

"학학. 지, 진짜예요? 은후 오빠 결혼했다는 거 진짜야?"

거친 숨을 몰아쉬며 달려온 그녀가 우리를 발견하기가 무섭게 다짜고짜 소리쳤다.

"아, 진짜냐고 묻잖아요!"

"아니, 애심 아가씨 아니세요?"

"모르고 계셨어요?"

아, 아는 사람인가?

조금 당황한 얼굴로 나는 아주머니들을 돌아보았다. 그녀들의 반응으로 보아 고 사장과도 아는 사이인 것 같은데 정작 나는 그녀에 대해 아는 것이 전혀 없었다. 당연했다. 누구도 나에게 그녀에 대해서 말을 해 준 적이 없었으니까. 근데 대체 누구지? 고 사장과는 어떤 사이일까? 아, 혹시 고 사장의 그녀?

생각만으로도 충격이 몰려왔다.

정말 그런가 싶어 나는 재빨리 그녀를 살펴보았다. 대강 봐도 여자는 확실히 예뻤다. 일단은 나보다 어려 보이고 오밀조밀 예쁘고 몸매도 끝내주는데다 입고 있는 옷을 보니 역시 비행기 승무원이기도 한가 보다. 그런데 따지는 행동 하나조차 당당하고 우아한 것이 안 그러려고 해도 저절로 누군가를 떠올리게 했다.

머릿속으로 나는 그녀를 고 사장이랑 나란히 세워 보았다. 더하고 뺄 것도 없이 딱 그림 같은 한 쌍이 완성되었다.

혹시 파우더 룸에 있는 그 화려한 화장대의 주인일까?

쿵! 깨닫는 순간, 무겁고 둔한 충격과 함께 머리 한쪽이 싸늘하게 굳는 것이 느껴졌다. 바위처럼 우두커니 서서 나는 점점 더 일그러지는 그녀의 얼굴만 멍하니 바라보았다. 차마 믿어지지 않지만 아무래도 내 짐작이 맞는 것 같았다.

고 사장, 정말로 여자가 있었구려.

내가 거기까지 생각했을 때 여자는 가방을 내던지고 그 자리에 아예 철푸덕 주저앉고 있었다. 그러더니 엉엉 소리 내어 울기 시작했다. 처절한 울음소리가 터져 나왔다. 얼마나 서럽게 우는지 모르는 사람이 보면 이 집에 초상이 난 줄 알 정도였다. 그만큼 그녀의 얼굴엔 상처받은 티가 역력했다. 내가 준 상처 같아서 가슴이 철렁했다.

아주머니들이 난감한 얼굴로 그런 그녀와 나를 번갈아 보

고 있었다. 그녀를 위로하고 싶은데 대놓고 하자니 아무래도
내 눈치가 보여 망설여진다는 듯. 그제야 나는 내가 이곳에
있어서는 안 된다는 사실을 깨달았다. 하긴, 내 존재가 이 여
자에겐 큰 상처가 되겠지. 아무리 형식적인 결혼이라지만 그
래도 고 사장과의 결혼은 처음부터 온전히 그녀의 몫이었을
테니까.

적어도 그녀는 그렇게 믿고 있었던 게 틀림없었다.

결혼식이 있었다는 것조차 몰랐다는 건 조금 의외였지만
고 사장이 그녀에게 알리고 싶지 않아 부러 감춘 거라면 이
해할 수 있었다. 어쩌면 배려한답시고 그녀가 비행 나간 틈
에 해치우기 위해 그렇게 서둘렀을 수도 있고.

그래도 이건 조금 심했다.

아무리 그에게 별 의미가 없는 나지만 그래도 이렇게 마주
치게 만들다니. 그가 실수한 거다. 그냥 둘이서 잘 살면 됐지
자기 여자를 위해 준비한 집에 나는 왜 데리고 온 건가. 방까
지 보여 주고 뭘 어쩌라는 거였을까. 애초에 안사람이니 어
쩌니 소개만 안 했어도 덜 민망했을 텐데.

"저, 저기 그럼 저는 이만 가 볼게요."

거실 한복판에 덩그러니 놓여 있던 짐 가방을 집어 들고
꾸벅 인사를 한 다음 나는 재빨리 그 자리를 벗어났다. 그러
곤 누가 잡을세라 미친 듯이 뛰어 그 집을 나왔다. 정원이 하
도 넓어 뛰쳐나오는 데 시간이 좀 걸리긴 했지만 뛰다 보니

어느새 낯선 거리에 서 있었다.

"아, 하마터면 큰일 날 뻔했네."

땀에 푹 젖은 몰골로 나는 멍하니 중얼거렸다.

안 그래도 더운 날씨에 잔뜩 당황해서는 미친 듯이 뛰기까지 했으니 땀이 안 나면 그게 더 이상한 거였다. 얼굴은 물론이고 등까지 다 젖은 채 나는 터덜터덜 걸었다. 쏟아지는 햇볕 때문에 정수리가 뜨끈했다. 그런데 속은 더 홧홧하게 아프다. 마치 옅은 화상을 입은 것처럼 싸한 아픔이 명치끝을 맴돌고 있었다.

"나쁜 고 사장, 여자를 그렇게 울리기나 하고."

다시 터벅터벅 걸으며 나는 혼자 중얼거렸다.

그렇게 예쁜 여자를 두고 그는 왜 나랑 결혼을 했을까. 할머님이 반대하셨나? 아니, 아니다. 그랬을 리가 없다. 겪어 보고 안 일이지만, 고 사장의 말이라면 할머님은 팥으로 메주를 쑨다고 해도 믿을 분이었다. 나에게 그랬듯 어떤 여자를 데려왔어도 환영해 주셨을 게 틀림없다. 더구나 고 사장 본인도 누가 등을 떠밀었다는 이유만으로 결혼을 결심할 만큼 우유부단한 성품이 결코 아니었다. 그런 사람이 무엇 때문에 제 여자에게 상처를 주면서까지 이런 이상한 선택을 한 것인가.

"고생시키기 싫었나? 할머님 성격이 보통이 넘는 건 사실이니까. 그렇다면 역시 할머님을 보살펴 줄 사람이 필요했던 건가? 아가씨도 이제 시집갈 나이가 되었고. 에이, 모르겠다."

한참을 생각에 골몰하다가 나는 그냥 머리를 털어 버리고 말았다.

아무리 생각해 봐도 결론은 안 나고 점점 더 머리만 아파왔다. 역시 생각하는 건 내 일이 아닌가 보다. 사실을 알아내 봤자 딱히 달라지는 것도 없고. 어차피 진실은 당사자들만 알고 있으면 되는 일이었다. 나는 내 일을 하고, 그들 사이의 일은 당사자들이 알아서 해결하면 된다.

"하긴, 그런 남자가 여자 하나 없다는 게 말이 돼? 괜찮아. 다 짐작하고 있었던 일이야. 나는 그냥 내 일만 하면 돼."

교통정리를 하고 나니 머릿속이 조금 편해졌다.

속은 여전히 홧홧하고 아팠지만 별것 아니었다. 체한 건 손가락을 따고 소화제를 먹으면 금방 나으니까. 이제 알 건 대강 다 알았으니 앞으로는 고 사장의 사소한 행동 하나에 이리저리 헷갈리는 일도 없을 터였다. 그리하여 나는 조금 더 씩씩하게 걷기 시작했다. 한참을 걷다가 문득 내가 처한 현실을 깨달았다.

"그런데 여긴 어디지?"

앞뒤좌우 모두가 낯설다는 사실을 나는 조금 늦게 알았다.

얼마 걷지도 않은 것 같은데 고 사장의 집은 보이지도 않고 사방으로는 낯선 집들만 줄을 지어 늘어서 있었다. 차가

다니는 대로는 아니고 그냥 주택가 같은데 반듯하게 잘 깔린 열십자의 도로 위엔 개미 새끼 한 마리도 보이지 않았다. 결국 어딘지도 모를 길 한복판에 서서 나는 크게 당황하고 말았다.

쿼바디스 도미네!

대체 여긴 어디인가? 나는 지금 어디로 가고 있는 것인가.

〈'선본 남자' 2권에서 계속〉

선본남자

1판 2쇄 찍음 2012년 1월 2일
1판 2쇄 펴냄 2012년 1월 5일

지은이 | 단 영
펴낸이 | 정 필
펴낸곳 | 도서출판 **뿔미디어**

기획총괄 | 이주현
기획 | 손수화
편집장 | 이재권
편집책임 | 주종숙
편집 | 심재영, 문정흠, 이경순, 이진선
관리, 영업 | 김기환, 임순옥

출판등록 | 2002년 9월 11일 (제1081-1-132호)
주소 | 부천시 원미구 상3동 533-3 아트프라자 503호 (우)420-861
전화 | 032)651-6513 / 팩스 032)651-6094
E-mail | BBULMEDIA@daum.net
카페 | http://cafe.daum.net/scarletR

값 8,500원

ISBN 978-89-6639-247-6 03810
ISBN 978-89-6639-246-9 03810 (세트)